#홈스쿨링
#혼자공부하기

똑똑한
하루
봄

Chunjae
Makes
Chunjae

▼

똑똑한 하루 봄 2-1

기획총괄	박진영
편집개발	김수신, 서춘원
디자인총괄	김희정
표지디자인	윤순미, 박민정
내지디자인	박희춘, 박종선
제작	황성진, 조규영
사진제공	픽사베이

발행일	2022년 1월 15일 초판 2022년 1월 15일 1쇄
발행인	(주)천재교육
주소	서울시 금천구 가산로9길 54
신고번호	제2001-000018호
고객센터	1577-0902

똑똑한 하루
봄/여름/가을/겨울은
어떻게 공부할까요?

1~2학년 총 8권

똑똑한 하루 봄(1~2학년)

똑똑한 하루 여름(1~2학년)

똑똑한 하루 가을(1~2학년)

똑똑한 하루 겨울(1~2학년)

- 매일 10분 학습으로 핵심 개념을 쉽고 빠르게 익혀요.
- 만화로 개념을 익히고, **활동 문제**를 풀면서 확인해요.
- 누구나 100점 TEST로 실력을 확인해요.
- 창의·융합·코딩 문제로 사고력과 이해력을 키워요.
- 다양한 평가 문제를 풀며 학습을 마무리해요.
- **붙임 딱지 붙이기, 만들기, 그리기(색칠하기)** 등 다양한 활동을 해요.

1일 10~13쪽	2일 14~17쪽	3일 18~21쪽	4일 22~25쪽
몸의 여러 부분 ---- 우리 몸이 하는 일	몸을 깨끗이 하는 방법 ---- 몸이 아플 때 해야 할 일	'까치야, 까치야' 놀이 ---- 내가 자라온 과정	여러 가지 표정 ---- 마음 신호등

5일 26~29쪽

몸과 마음을 건강하게 하기

소리를 듣고 몸으로 표현하기

1일 42~45쪽

내가 좋아하는 것과 잘하는 것

나의 꿈

← **2주**

특강 30~37쪽

누구나 100점 TEST
➕
창의·융합·코딩

2일 78~81쪽	3일 82~85쪽	4일 86~89쪽	5일 90~93쪽
봄맞이 청소 ---- 봄비	봄철 건강을 지키는 습관 ---- 8자 놀이	봄맞이 장식품 만들기 ---- 봄의 모습을 표현하는 방법	봄에 있었던 일 떠올리기 ---- 기억에 남는 장면 표현하기

특강 94~101쪽

누구나 100점 TEST
➕
창의·융합·코딩

108~111쪽	104~107쪽
기초 종합 정리 문제 1회	신경향 · 신유형 · 서술형

← **마무리 학습**

똑똑한 하루
봄/여름/가을/겨울로
무엇을 배울까요?

초등학교 1~2학년의 바른 생활, 슬기로운 생활, 즐거운 생활
교과 내용을 배울 수 있어요.

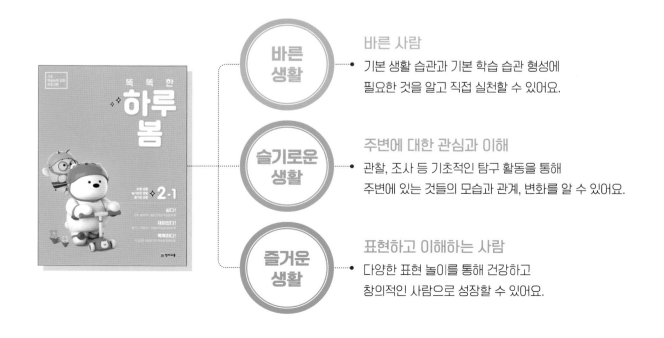

바른 생활
바른 사람
- 기본 생활 습관과 기본 학습 습관 형성에
  필요한 것을 알고 직접 실천할 수 있어요.

슬기로운 생활
주변에 대한 관심과 이해
- 관찰, 조사 등 기초적인 탐구 활동을 통해
  주변에 있는 것들의 모습과 관계, 변화를 알 수 있어요.

즐거운 생활
표현하고 이해하는 사람
- 다양한 표현 놀이를 통해 건강하고
  창의적인 사람으로 성장할 수 있어요.

똑 똑 한

하루
봄

바른 생활
슬기로운 생활
즐거운 생활 **2-1**

구성과 특징

주별 학습

한 주 미리보기

만화를 읽고 붙임 딱지 활동을 하며 한 주 동안 공부할 내용을 미리 살펴봐요.

일일 학습

재미있는 만화와 활동 문제로 개념을 익혀요.

특강

누구나 100점 TEST

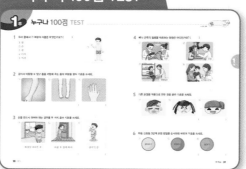

한 주 동안 공부한 내용을 확인해요.

창의·융합·코딩

창의·융합·코딩 문제로 사고력을 키워요.

마무리 학습

공부한 내용을 정리해요

신경향 · 신유형 · 서술형

기초 종합 정리 문제

학력 진단 TEST

활동 꾸러미

생생 자료실/어휘 카드/핵심 카드/놀이 활동지/
붙임 딱지 등 다양한 활동 꾸러미가 있어요.

공부할 내용

1
주

✿ 상황에 어울리는 표정을 붙여 보세요. ⭐붙임 딱지 ①

기쁜 표정
⭐붙임 딱지

신난 표정
⭐붙임 딱지

화난 표정
⭐붙임 딱지

상황에 알맞은 표정을 붙임 딱지에서 찾아 붙여 보고 여러 가지 표정을 살펴봅니다.

몸의 여러 부분

개념 콕!

몸에 있는 여러 부분 살펴보기

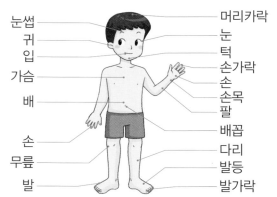

눈썹
귀
입
가슴
배
손
무릎
발

머리카락
눈
턱
손가락
손
손목
팔
배꼽
다리
발등
발가락

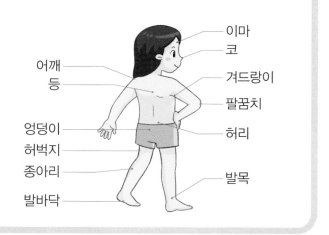

어깨
등
엉덩이
허벅지
종아리
발바닥

이마
코
겨드랑이
팔꿈치
허리
발목

1 선우가 손거울을 사용하여 얼굴을 살펴보고 있어요. 빈칸에 들어갈 몸 부분을 아래 그림에서 찾아 ○표 하세요.

얼굴에는 머리카락, 눈썹

눈, ☐ , 입, 귀가 있어요.

2 소민이네 모둠 친구들이 그린 몸 그림이에요. 몸의 각 부분의 이름을 빈칸에 쓰세요.

우리 몸이 하는 일

개념 콕!

몸의 각 부분이 하는 일 알아보기

눈	앞을 볼 수 있고, 물건을 구분할 수 있음.	입	말을 할 수 있고, 음식을 먹을 수 있음.
코	냄새를 맡을 수 있고, 숨을 쉴 수 있음.	다리(발)	걸어서 이동할 수 있고, 몸을 지탱해 줌.
귀	여러 가지 소리를 들을 수 있음.	손(손가락)	글씨를 쓸 수 있고, 젓가락질을 할 수 있음.

1 다음 몸의 부분과 하는 일을 알맞게 줄로 연결하세요.

   •

•   앞을 볼 수 있어요.

   •

•   말을 할 수 있어요.

2 다음 친구가 말하는 몸의 부분을 나타내는 글자를 찾은 다음, 글자가 있는 칸을 색칠하세요.

냄새를 맡고, 숨을 쉴 수 있어요.

손	입	귀
발	코	눈

3 친구들이 병을 흔들어 소리를 듣고 있어요. 이때 소리를 듣는 일을 하는 몸의 부분에 ○표 하세요.

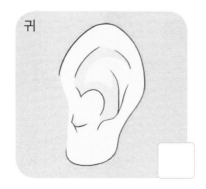

귀

팔

몸을 깨끗이 하는 방법

 개념 콕!

손을 씻어야 하는 때 알아보기

화장실에 다녀온 후

식사 전

외출 후 집에 와서

개나 고양이 등 동물을 만진 후

1 밥을 먹기 전에 꼭 해야 할 일에 ◯표 하세요.

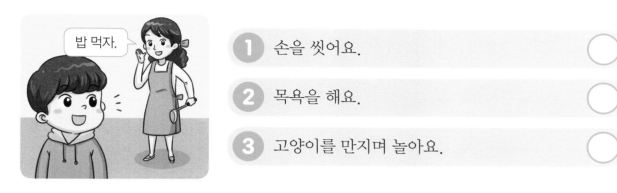

밥 먹자.

① 손을 씻어요. ◯

② 목욕을 해요. ◯

③ 고양이를 만지며 놀아요. ◯

2 몸을 깨끗하게 하는 방법으로 바른 것을 찾아 모두 ◯표 하세요.

목욕을 자주 해요.

속옷은 자주 갈아입지 않아요.

음식을 먹은 후에는 이를 잘 닦아요.

3 케이크를 먹은 다음에 해야 할 행동으로 바른 것에 😊 붙임 딱지를 붙이세요. 붙임 딱지 ①

잠자기

이 닦기

몸이 아플 때 해야 할 일

개념 콕!

몸이 아픈 곳에 따라 가야 하는 병원 알아보기

정형외과	뼈나 근육의 병을 치료하는 곳
치과	이와 입 안의 병을 치료하는 곳
안과	눈의 병을 치료하는 곳
소아청소년과	어린이나 청소년의 병을 치료하는 곳
이비인후과	귀, 코, 목구멍의 병을 치료하는 곳

1 집에서 몸이 아플 때 누구에게 알려야 하는지 빈칸에 쓰세요.

감기에 걸려서 머리가 아파요.

아픈 것을 [ ] [ ] [ ] 께 말씀드려야 해요.

2 다음 친구가 가야 하는 병원을 찾아 ○표 하세요.

이가 너무 아파요.

끙~

치과

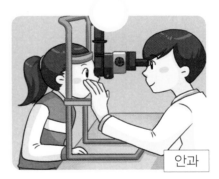

안과

3 다음 친구가 간 병원은 어느 곳인지 보기 에서 찾아 쓰세요.

목구멍이 아파서 음식을 못 먹겠어요.

그럼 병원에 가보자꾸나.

콜록 콜록

알겠어요.

보기

안과   이비인후과

정형외과   치과

(   )

'까치야, 까치야' 놀이

노래 듣기

앞니 빠진 중강새
우물가에 가지 마라
붕어 새끼 놀란다
잉어 새끼
놀란다~

'앞니 빠진 중강새'라는 노래야.

우리 '까치야, 까치야' 놀이 할까?

어떻게 하는 건데?

'중강새' 역할은 공을 던지고, '까치' 역할은 공을 받는 거야.

중강새가 "까치야, 까치야, 헌 이 줄게, 새 이 다오."라고 외치며 신문지 공을 던지면,

까치가 "예쁜 이 줄게."라고 대답하며 바구니로 신문지 공을 받는 거야.

우리 같이 해 보자. 내가 중강새 역할 할게.

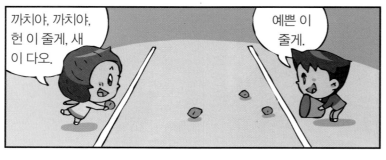

까치야, 까치야, 헌 이 줄게, 새 이 다오.

예쁜 이 줄게.

정말 이가 새로 자란 것 같은 느낌이야.

하하, 기분 탓이야.

 개념 콕!

'앞니 빠진 중강새'를 장단에 맞추어 노래 부르기

앞		니	빠		진	중		강	새	

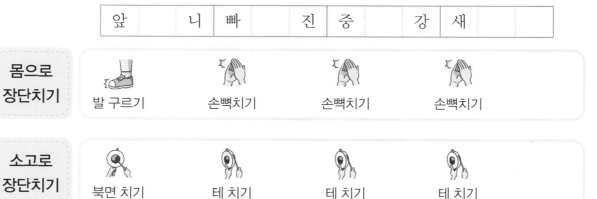

몸으로 장단치기	발 구르기	손뼉치기	손뼉치기	손뼉치기
소고로 장단치기	북면 치기	테 치기	테 치기	테 치기

1 몸으로 장단치며 '앞니 빠진 중강새'노래를 부를 때 빈칸에 들어갈 장단 치는 방법을 붙임 딱지에서 찾아 붙이세요. 붙임 딱지 ①

앞	니	빠	진	중	강	새	

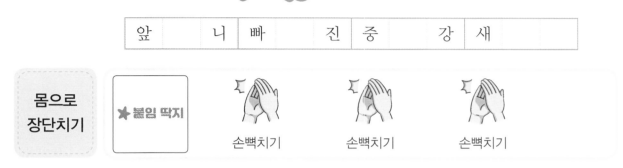

몸으로 장단치기 | ★붙임 딱지 | 손뼉치기 | 손뼉치기 | 손뼉치기

2 '까치야, 까치야' 놀이에서 신문지 공을 던지는 친구들은 무슨 역할인지 쓰세요.

( ) 역할   까치 역할

(   ) 역할

3 '까치야, 까치야' 놀이에서 까치 역할을 맡은 친구가 하는 말로 알맞은 것에 ○표 하세요.

① 예쁜 이 줄게.   ○

② 헌 이 줄게, 새 이 다오.   ○

3일

내가 자라 온 과정

몸과 마음이 잘 자라기 위해 해야 할 일 알아보기

운동을 꾸준히 합니다.

음식을 골고루 먹습니다.

무엇이든 잘할 수 있다고 생각합니다.

내가 소중하다고 생각합니다.

✦ 정답 2쪽

1 성장흐름표를 만드는 순서대로 ◯ 안에 번호를 차례로 쓰세요.

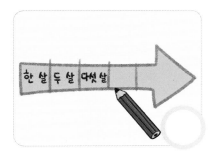 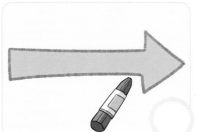 

2 성장흐름표의 빈칸에 어울리는 장면을 붙임 딱지에서 찾아 붙여서 성장흐름표를 완성하세요. ★붙임 딱지 1

3 몸과 마음이 잘 자라기 위해 해야 할 일을 정리한 것이에요. 빈칸에 알맞은 말을 쓰세요.

무엇이든 잘할 수 있다고 생각하기

내가 소중하다고 생각하기

☐☐ 을 꾸준히 하기

음식을 골고루 먹기

여러 가지 표정

우리 표정 알아맞히기 놀이 하자.

그럼 내가 흉내 내는 표정을 맞혀 봐.

기쁜 표정!

놀란 표정이네.

화난 표정은 싫어.

신난 표정은 좋아.

슬픈 표정이야.

여러 가지 표정을 보고 알게 된 게 있어.

뭔데?

말을 하지 않아도 마음을 전달할 수 있는 것 같아.

맞아! 친구와 대화할 때는 친구의 표정도 함께 봐야 해.

개념 콕!

여러 가지 표정을 만들고 따라해 보기

화가 날 때는 눈썹이 올라가고,
놀랐을 때는 눈이 커지고 입이 동그래집니다.

기쁜 표정	화난 표정	놀란 표정	신난 표정	슬픈 표정

+ 정답 2쪽

1 다음의 상황에 어울리는 표정을 붙임 딱지에서 찾아 빈칸에 붙이세요.

| ★ 붙임 딱지 | ★ 붙임 딱지 |

내일이 시험이라 긴장 돼요.

장난감이 망가져서 화 나요.

친구가 전학가서 슬퍼 요.

2 각각의 표정과 비슷한 표정을 만든 작품을 찾아 알맞게 줄로 연결하세요.

어제 놀이터에서 친구들과 놀아서 신났어요.

어젯밤에 천둥소리에 놀랐어요.

칭찬을 받아서 기뻐요.

마음 신호등

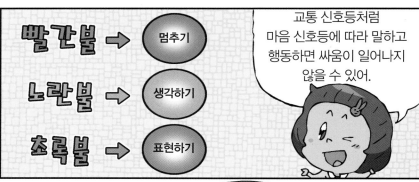

 개념 콕!

마음 신호등 3단계 표현 방법(예 친구가 실수로 그림에 물을 쏟은 경우)

| 멈추기 | 말하기 전에 3초만 기다림. | 생각하기 | 친구의 마음과 나의 마음을 생각함. | 표현하기 | 화를 내지 않고 차분히 말함. |

작품이 망가져서 속상했어. 다음부터는 조심해 줘.

1 마음 신호등 3단계 표현 방법에 알맞게 붙임딱지를 붙이세요. ★붙임 딱지 1

멈추기
말하기 전에 3초만 기다려요.

★붙임 딱지
친구의 마음과 나의 마음을 모두 생각해요.

표현하기
화를 내지 않고 차분히 말해요.

2 다음과 같은 경우 혜진이가 마음 신호등의 3단계를 거쳐 표현할 말로 알맞은 것에 ○ 표 하세요.

혜진이가 복도를 지나가다가 다른 곳을 보면서 달려오던 경호와 부딪히고 말았어요. 혜진이는 '꽈당' 넘어지게 되었어요.

미안해. 괜찮아?

혜진

경호

1 넘어져서 아팠어. 너는 괜찮니? 다음부터 조심하자. ○

2 너 때문에 아프잖아! 너 나한테 혼나 볼래? ○

몸과 마음을 건강하게 하기

개념 콕!

마음이 건강해지는 데 도움이 되는 습관

친구와 사이좋게 지내기

책 읽기

부모님과 이야기 나누기

1 몸이 건강해지는 데 도움이 되는 습관과 마음이 건강해지는 데 도움이 되는 습관으로 나누어 번호를 쓰세요.

① 줄넘기하기

② 골고루 먹기

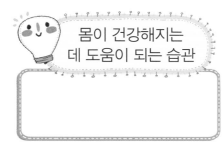

몸이 건강해지는 데 도움이 되는 습관

③ 책 읽기

④ 친구와 사이좋게 지내기

마음이 건강해지는 데 도움이 되는 습관

2 나의 습관과 건강을 위해 고쳐야 할 점을 바르게 줄로 연결하세요.

과자를 조금만 먹어요.

텔레비전을 조금만 봐요.

친구에게 나쁜 말을 사용하지 않아요.

소리를 듣고 몸으로 표현하기

개념 콕!

소리를 듣고 떠오르는 움직임을 몸으로 표현하기

토끼가 뛰어가는 모습	비행기가 날아가는 모습	개구리가 뛰는 모습	오뚝이 장난감이 움직이는 모습

1 소리를 듣고 해가 떠오르는 모습을 움직임으로 표현한 것에 ○표 하세요.

2 악기 소리를 듣고 떠오른 움직임이 다음과 같을 때, 움직임을 몸으로 표현한 것을 알맞게 줄로 연결하세요.

비행기가 날아가는 모습

·

·

토끼가 뛰어가는 모습

·

·

3 소리를 듣고 떠오르는 모습을 다음과 같이 표현하였을 때, 친구가 떠올린 모습으로 알맞은 것에 ○표 하세요.

개구리가 뛰는 모습

나비가 나는 모습

1 우리 몸에서 ㉠ 부분의 이름은 무엇인가요? (   )

① 발
② 손
③ 팔
④ 다리
⑤ 머리

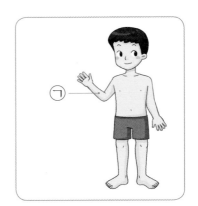

2 걸어서 이동할 수 있고 몸을 지탱해 주는 몸의 부분을 찾아 기호를 쓰세요.

㉠    ㉡ 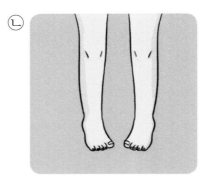   ㉢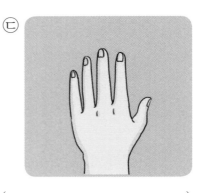

(   )

3 손을 반드시 씻어야 하는 경우를 두 가지 골라 기호를 쓰세요.

㉠    ㉡    ㉢

화장실 다녀온 후   외출 후 집에 와서   잠자기 전

(   )

4 뼈나 근육의 질병을 치료하는 병원은 어디인가요? (　　　　)

①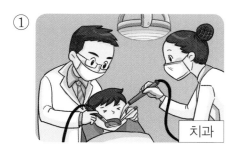
치과

②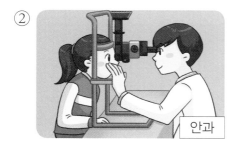
안과

③
정형외과

④
소아청소년과

5 기쁜 표정을 작품으로 만든 것을 골라 기호를 쓰세요.

㉠

㉡

㉢

(　　　　　　)

6 마음 신호등 3단계 표현 방법을 순서대로 바르게 기호를 쓰세요.

㉠
생각하기

㉡
표현하기

㉢
멈추기

(　　　　　　)

생각을 넓혀요  창의·융합·코딩 ①

손 씻기의 중요성

밖에서 간식 사 오자.

그래.

아, 참!

저금통을 가져와야지.

저금통은 왜?

간식 사고 남은 동전을 저금통에 넣어야지.

너 저금 많이 했구나.

그럼 간식을 먹어 볼까?

잠깐!

동전을 만졌으면 손을 또 씻어야지.

헤헤, 괜찮아.

손에는 식중독 같은 질병을 일으키는 세균이 많아.

화장실에 다녀온 후, 외출하고 돌아온 후, 동물, 동전 등을 만진 후 꼭 손을 씻어야 해.

돈에 세균이 많다고 하니 이제 저금을 안 할래.

어휴, 손을 잘 씻으면 되잖아.

🔍 세균에 대해 알아봐요!

세균은 크기가 아주 작고 생김새가 단순한 생물이에요. 세균은 땅이나 물, 신발 속, 입안, 손톱 등 이 세상 어디에나 있지만 너무 작아서 우리 눈에 보이지는 않아요. 식중독, 폐렴, 그리고 여드름 같은 피부병을 일으키기도 해요.

손을 잘 씻어야 하는 것은 손에 질병을 일으키는 무엇이 있기 때문인가요?

답

생각을 키워요 창의·융합·코딩 ②

✏️ 코딩

1 제시된 질문에 대한 대답으로 우리 몸의 부분이 하는 일이 알맞으면 '예', 알맞지 않으면 '아니요'에 ○표를 하며 화살표를 따라 도착지까지 가 보세요.

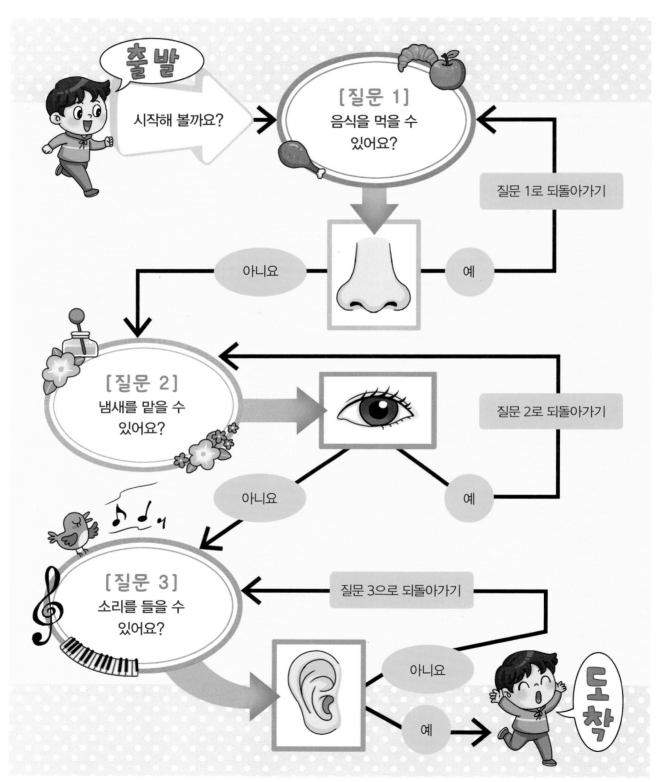

융합

2 아플 때 가야 하는 병원에 대한 질문이에요. 길을 따라가서 질문의 답인 병원에 있는 자음자와 모음자를 번호 순서대로 모았을 때 만들어지는 두 글자를 쓰세요.

❶ 뼈나 근육의 병을 치료하는 곳은?

❷ 이와 입 안의 병을 치료하는 곳은?

❸ 눈의 병을 치료하는 곳은?

❹ 귀, 코, 목구멍의 병을 치료하는 곳은?

❺ 어린이나 청소년의 병을 치료하는 곳은?

ㅣ
치과

ㄴ
안과

ㅊ
정형외과

ㅜ
소아청소년과

ㄱ
이비인후과

생각을 키워요 창의·융합·코딩 3

3 악기 소리를 듣고 떠오른 모습을 동작으로 표현하고 있어요. 각 상황에 연결된 사다리를 타고 도착한 곳에 어울리는 동작을 붙임 딱지에서 찾아 붙이세요. ★붙임 딱지 1

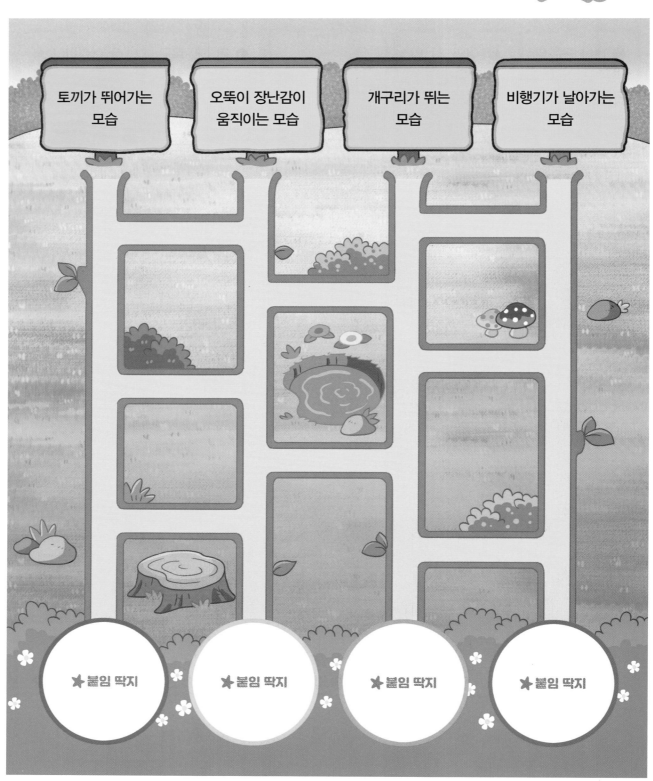

융합

4 학교 가는 길에 나의 몸과 마음을 건강하게 하는 습관이면 주머니 안의 숫자를 더하고, 고쳐야 할 생활 습관이면 그냥 지나쳐야 해요. 학교에 도착했을 때 숫자를 모두 더한 값은 얼마인지 쓰세요.

✪ 여러 가지 꿈을 생각해 보세요. ★붙임 딱지 ❶ ❷

친구들의 꿈 표현 동작을 보고 꿈을 나타낸 알맞은 붙임 딱지를 붙여 꿈을 이룬 모습을 상상해 봅니다.

내가 좋아하는 것과 잘하는 것

개념 콕!

내가 좋아하는 것(흥미)과 잘하는 것(재능)을 찾아보는 까닭

① 내가 무엇을 좋아하는지, 내가 무엇을 잘하는지 찾아가다 보면 나에 대해 잘 알게 됩니다.

② 내가 좋아하는 일이나 잘하는 일을 찾아 나의 꿈으로 키울 수 있습니다.

③ 내가 가진 장점을 알고 더 키우기 위해 노력할 수 있습니다.

1 내가 좋아하는 것에 대해 이야기한 친구를 찾아 ○표 하세요.

2 다음 친구가 자신을 소개하는 글에 나타난 것은 '흥미'인지 '재능'인지 쓰세요.

3 다음 빈칸에 들어갈 알맞은 말을 **보기** 에서 찾아 쓰세요.

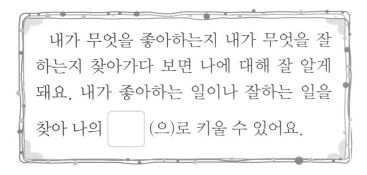

내가 무엇을 좋아하는지 내가 무엇을 잘하는지 찾아가다 보면 나에 대해 잘 알게 돼요. 내가 좋아하는 일이나 잘하는 일을 찾아 나의 ☐ (으)로 키울 수 있어요.

보기

| 나 | 너 |
| 꿈 | 힘 |

나의 꿈

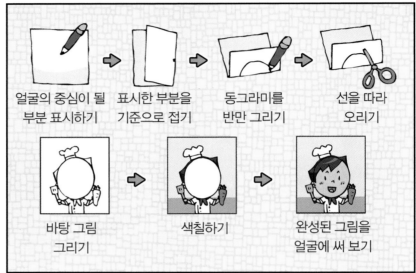

개념 콕!

꿈을 이룬 모습 소개하기

① 미래의 모습을 그림으로 그립니다.

② 완성된 그림을 얼굴에 쓰고 친구들 앞에서 자기 소개를 합니다.

+ 정답 5쪽

1 미래의 나의 모습을 그리기 위한 종이를 준비하는 순서대로 ◯ 안에 번호를 쓰세요.

동그라미를 반만 그려요.

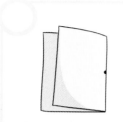

표시한 부분을 기준으로 접어요.

선을 따라 오려요.

얼굴의 중심이 될 부분을 표시해요.

2 다음 친구의 꿈은 무엇인지 글자판에서 꿈을 나타내는 글자를 찾아 빈칸에 쓰세요.

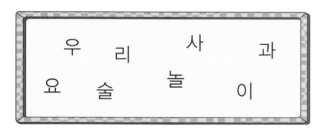

우　리　　사　　과
요　술　　놀　　　이

3 다음은 세진이가 꿈을 이룬 미래의 모습을 소개하는 글이에요. 세진이가 꿈을 이룬 모습을 찾아 ◯표 하세요.

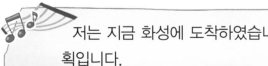

저는 지금 화성에 도착하였습니다. 저는 우주를 탐사하고 우주 공원을 만들 계획입니다.

2일 꿈을 몸으로 표현해 보기

개념 콕! 여러 가지 꿈을 몸으로 표현해 보기

소방관	농부	선생님	요리사

호스를 잡고 불을 끄고 있습니다.	벼를 심고 있습니다.	칠판에 글씨를 쓰고 있습니다.	채소를 볶고 있습니다.

1 다음 친구들이 몸으로 표현하고 있는 꿈은 무엇인지 보기 에서 찾아 쓰세요.

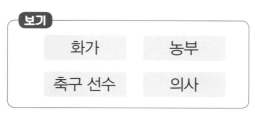

보기

화가   농부

축구 선수   의사

(   )

2 친구들의 꿈 표현 동작을 보고 친구들이 표현한 꿈은 무엇인지 붙임 딱지에서 찾아 붙이세요. ★붙임 딱지 ②

호스를 잡고 불을 끄고 있어요.

응급처치를 하고 있어요.

표현한 꿈

★붙임 딱지

칠판에 글씨를 쓰고 있어요.

받아쓰기를 불러 주고 있어요.

표현한 꿈

★붙임 딱지

나를 보여주기

 발표회에서 지켜야 하는 예절

전시물은 손으로 만지지 않고 눈으로만 감상함.

옆 사람과 말하거나 장난치지 않고 조용히 관람함.

칭찬 쪽지를 붙일 때에는 전시물이 망가지지 않도록 주의함.

끝까지 참여하고 감상함.

1 나의 흥미와 재능 등을 소개할 때 공연으로 보여 줄 수 있는 것을 두 가지 골라 ○표 하세요.

나의 미래 모습 그림

노래 부르기

태권도 시범

성장흐름표

2 발표회에서 바르게 행동한 친구에게는 😊 붙임 딱지를 붙이고, 고쳐야 할 행동을 한 친구에게는 😢 붙임딱지를 붙이세요. 붙임 딱지 ❷

전시된 것들을 손으로 만지지 않고 눈으로만 감상했어요.

★ 붙임 딱지

옆 친구와 말하거나 장난치지 않고 조용히 관람했어요.

★ 붙임 딱지

발표회가 끝나지 않아도 보고 싶은 것만 보고 밖으로 나갔어요.

★ 붙임 딱지

봄을 느껴 보기

화단의 꽃을 보니 봄을 느낄 수 있어.

학교 화단에 봄이 왔어.

봄바람에 벚꽃이 날리고 있어.

나비가 날아가는 모습을 몸짓으로 표현할게.

우아~

그럼 나는 꽃이 피어나는 모습을……

으악, 벌이다!

벌이 네가 진짜 꽃인 줄 알았나 봐.

개념 콕!

학교 주변을 둘러보며 봄을 느껴 보기

새싹	개나리	벚꽃

새싹이 돋은 동산, 봄꽃이 핀 화단, 꽃이 핀 울타리 등에서 봄을 느낄 수 있습니다.

1 다음 사진과 같은 모습을 볼 수 있는 계절을 찾아 ○표 하세요.

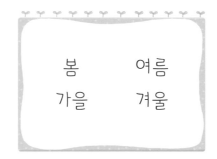

봄　　여름
가을　　겨울

2 친구들이 학교 주변을 둘러보며 봄의 모습과 느낌을 몸짓으로 표현하고 있어요. 나비가 훨훨 날아가는 모습과 꽃이 피어나는 모습을 몸짓으로 표현한 모습을 붙임 딱지에서 찾아 붙이세요. 붙임 딱지 **2**

'봄아 어디까지 왔니' 노래

 개념 콕!

소고 장단을 치며 노래 부르기

노랫말	어	디	까	지	왔		니	
소고	🥁		🥁		🥁		🥁	

쥐는 법 | 소고는 왼손, 소고 채는 오른손으로 쥐고 소고를 칩니다.

치는 법 | 소고 채로 소고의 가죽으로 된 넓은 면(북편)을 치거나 옆면의 테를 칩니다.

1 '봄아 어디까지 왔니' 노래를 부르는 모습입니다. 묻고 답하는 형식으로 부를 때 빈칸에 들어갈 노랫말로 알맞은 것에 ◯표 하세요.

어디까지 왔니?   산 너머에 왔지.

2 다음 (   ) 안에 들어갈 알맞은 말을 오른쪽에서 찾아 ◯표 하세요.

'봄아 어디까지 왔니' 노랫말은 (   )에게 빨리 오라고 이야기를 하는 것 같아요.

봄	여름
가을	겨울

3 다음과 같이 장단을 치며 노래를 부를 때 사용한 악기의 이름을 쓰세요.

어	디	까	지	왔	니

봄이 되어 달라진 모습

 개념 콕!

겨울에서 봄이 되어 달라진 모습 찾아보기

구분	겨울	봄
나와 친구의 모습	털모자, 목도리, 장갑 등을 하고, 내복과 두꺼운 옷을 입음.	털모자와 목도리, 장갑 등을 하지 않고 얇은 옷을 입음.
주변의 모습	• 나뭇가지에 잎이 없고, 얼음이 얾. • 집에서는 창문을 닫고 주로 집 안에서 생활함. • 농사를 짓지 못함.	• 나뭇가지에 새잎이 돋아나고 꽃이 핌. • 얼음이 녹고, 바깥 활동을 많이 함. • 농사를 짓기 시작함.

1 겨울과 봄의 모습을 붙임 딱지에서 찾아 계절에 알맞게 붙임 딱지를 붙이세요. 붙임딱지 ❷

겨울	봄
★ 붙임 딱지	★ 붙임 딱지

2 겨울과 봄 중 친구들의 다섯 고개 질문의 답에 해당하는 계절을 빈칸에 쓰세요.

사람들은 얇은 옷을 입나요?　　예.

얼음이 꽁꽁 얼어 있나요?　　아니요.

창문을 열어 두고 바깥 활동을 많이 하나요?　　예.

농사를 짓기 시작하나요?　　예.

나뭇가지에 잎이 없나요?　　아니요.

이 계절은 　　　　 입니다.

3 다음 ( ) 안의 알맞은 말에 ○표 하세요.

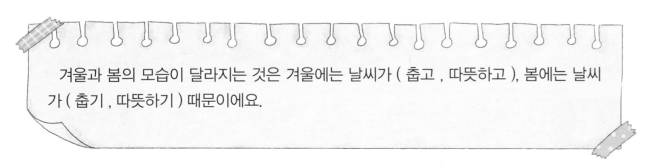

겨울과 봄의 모습이 달라지는 것은 겨울에는 날씨가 (춥고 , 따뜻하고), 봄에는 날씨가 (춥기 , 따뜻하기) 때문이에요.

봄 날씨의 특징

봄 날씨를 확인할 수 있는 방법 알아보기

뉴스 일기 예보에서 날씨를 확인합니다.

인터넷 일기 예보에서 날씨를 확인합니다.

신문에서 날씨를 확인합니다.

주변 어른께 여쭈어 봅니다.

1 다음 빈칸에 알맞은 말을 쓰세요.

뉴스, 인터넷, 신문 등의 일기 예보에서 봄 ☐ ☐ 를 확인할 수 있어요.

2 그림의 봄 날씨와 관련이 있는 것을 보기 에서 찾아 쓰세요.

보기

| 따뜻함 | 봄비 |
| 먼지바람 | 더위 |

(   )

3 봄 날씨의 특징으로 알맞지 <u>않은</u> 것에 ×표 하세요.

따뜻한 날이 많아요.   봄비가 내리기도 해요.   눈이 많이 내려요.

날씨에 어울리는 옷차림

오늘 캠핑 간다고 멋있게 옷을 입었네.

응.

날씨에 어울리는 옷을 입었어.

그래야 건강을 지킬 수 있고,

우리 몸을 보호할 수 있고, 활동하기 편하기 때문이지.

갑자기 비가 오네.

오늘 일기 예보가 틀렸어.

오늘은 햇빛이 강하니까 모자도 준비했어.

개념 콕!

날씨에 어울리는 옷차림 알아보기

아침, 저녁에는 쌀쌀하고 낮에는 더운 날

봄비가 내리는 날

먼지바람이 심한 날

1 날씨에 어울리는 옷차림이나 필요한 것을 붙임 딱지에서 찾아 붙이세요.

필요한 것		필요한 것
★ 붙임 딱지		★ 붙임 딱지

추워요.

봄비가 내려요.

2 먼지바람이 불 때 외출을 해야 할 경우 먼지가 들어가지 않도록 얼굴에 쓰는 것은 무엇인지 [보기]에서 찾아 쓰세요.

보기

털장갑	목도리
마스크	털모자

3 아침과 저녁에는 쌀쌀하고 낮에는 더운 날에 알맞은 옷차림을 한 친구에 ○표 하세요.

비옷을 입고 장화
를 신어요.

얇은 겉옷을 함께
가지고 다녀요.

일기 예보

날씨 변화를 짐작하여 미리 알려 주는 일기 예보 놀이 할까?

그래.

일기 예보는 소풍, 운동회 등의 행사나 농사를 지을 때, 비행기나 배가 이동할 때를 정할 때 필요해.

그런데 비가 계속 내리네.

싸아아

차라리 잘되었어.

뭐가?

이렇게 비가 올 때

뒤적 뒤적

머리도 감고, 양치질도 해야지.

싸아아

미세 먼지가 섞여 있는데……

쓱 쓱

 개념 콕!

일기 예보 놀이하기

뉴스 진행　날씨 안내
촬영　감독

서로 역할을 나눕니다.

필요한 준비물을 만듭니다.

오늘의 날씨는

일기 예보 내용을 씁니다.

오늘 내일 모레

일기 예보 놀이를 합니다.

1 일기 예보가 반드시 필요한 경우가 <u>아닌</u> 것을 찾아 ×표 하세요.

소풍을 갈 때

농사를 지을 때

책을 읽을 때

2 일기 예보 놀이를 하는 순서대로 빈칸에 번호를 쓰세요.

필요한 준비물을 만들어요.

서로 역할을 나누어요.

일기 예보 놀이를 해요.

일기 예보 내용을 써요.

누구나 100점 TEST

1 다음은 꿈을 이룬 미래의 나의 모습을 소개하는 모습이에요. 미래의 나의 꿈은 무엇인가요? (   )

① 농부
② 화가
③ 요리사
④ 선생님
⑤ 우주비행사

2 미래에 농부가 되어 벼를 심고 있는 모습을 몸으로 표현한 것을 골라 기호를 쓰세요.

㉠

㉡

㉢

(   )

3 다음 친구들이 몸짓으로 표현하고 있는 모습을 알맞게 줄로 연결하세요.

   •

   •

• 나비가 훨훨 날아가는 모습

• 꽃이 피어나는 모습

4 봄의 모습에 대한 설명으로 알맞은 것에 ○표 하세요.

(1) 털모자를 쓰고 목도리를 했어요.

(   )

(2) 나뭇잎이 돋아나고 꽃이 피었어요.

(   )

(3) 나뭇가지에 잎이 없고, 얼음이 얼었
어요.   (   )

5 다음 그림에 나타난 봄 날씨의 특징은 무엇인가요? (   )

① 봄비가 내려요.
② 따뜻한 날이 많아요.
③ 갑자기 추워지기도 해요.
④ 먼지바람이 부는 날도 있어요.
⑤ 눈보라가 불어서 재채기가 나와요.

6 봄비가 내리는 날씨에 어울리는 옷차림을 골라 기호를 쓰세요.

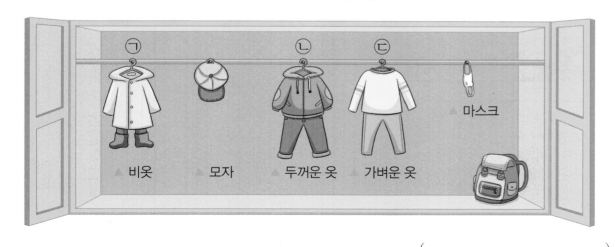

(   )

생각을 넓혀요 창의·융합·코딩 1

먼지바람의 정체를 알아보자

내일 먼지바람이 분대.

먼지바람?

먼지바람은 황사와 미세 먼지가 섞인 거야.

황사? 미세 먼지? 그게 뭔데?

황사는 주로 중국에서 날아온 아주 작은 모래 먼지야.

미세 먼지는 아주 작은 먼지로, 해로운 것들이 들어 있어.

미세 먼지는 자동차, 공장 등에서 생겨나 공기 중에 오랫동안 떠다녀.

미세 먼지보다 더 작은 것도 있어?

응. 그걸 '초미세 먼지' 라고 해.

초미세 먼지는 우리 몸속 가장 깊은 곳까지 들어가기 때문에 더 위험해.

흡!

뭐 하고 있는 거야?

먼지바람을 조금이라도 덜 마시려면 숨을 참아야 할 것 같아서.

오늘 공기 깨끗한데?

 먼지바람에 대해 알아봐요!

먼지바람은 황사와 미세 먼지를 말합니다. 황사는 주로 중국에서 날아오는 아주 작은 모래 먼지이고, 미세 먼지는 공장이나 자동차 등에서 생겨나 공기 중에 오랫동안 떠다니는 아주 작은 먼지로 해로운 것들이 들어 있어요.

공장이나 자동차 등에서 생겨나 공기 중에 오랫동안 떠다니는 아주 작은 먼지로 해로운 것들이 들어 있는 것은 무엇일까요?

답

생각을 키워요

창의

1 꿈을 이룬 모습을 설명한 내용에 연결된 길을 따라가 도착한 곳에 그 꿈을 이룬 모습을 찾아 붙임 딱지를 붙이세요. 붙임 딱지 **3**

저는 요리사입니다. 호텔 주방에서 흰 요리사 옷을 입고 맛있는 음식을 만듭니다.

저는 우주 비행사입니다. 곧 우주여행을 떠날 계획입니다.

저는 화가입니다. 사람들 얼굴 그리는 것을 좋아합니다.

★붙임 딱지

★붙임 딱지

★붙임 딱지

융합

2 송이가 길을 잃은 강아지를 찾고 있어요. 친구들의 꿈 표현 동작을 보고 알맞은 꿈에 ○ 표를 하며 따라가면 강아지를 만날 수 있어요. 길을 바르게 찾아가 강아지를 만나보세요.

2주 학습 • **67**

생각을 키워요

3 다음 명령어에 따라 움직이면 먼지바람이 부는 날과 햇빛이 강한 날에 필요한 물건을 찾을 수 있어요. 필요한 물건은 무엇인지 빈칸에 각각 쓰세요.

융합

4 다음은 윤아네 모둠에서 일기 예보 놀이를 하는 모습이에요. 일기 예보 내용을 보고, 외출할 때 준비해야 할 물건을 쓰세요.

일기 예보 내용

오늘은 하루 종일 비가 내릴 것으로 예상됩니다. 외출하실 때에는 비옷이나 ⬜ ⬜ 을 꼭 준비하시기 바랍니다. 내일 비가 그치면서 따뜻한 날씨가 주말까지 이어져 주말에는 가족들이 함께 봄나들이를 하기에 아주 좋겠습니다.

⬜ ⬜

1일 봄철 생활 모습 ~ 봄철 생활에 필요한 것

2일 봄맞이 청소 ~ 봄비

3일 봄철 건강을 지키는 습관 ~ 8자 놀이

4일 봄맞이 장식품 만들기 ~ 봄의 모습을 표현하는 방법

5일 봄에 있었던 일 떠올리기 ~ 기억에 남는 장면 표현하기

✪ 봄철 생활 모습을 꾸며 보세요. 붙임 딱지 3

봄철 생활 모습을 살펴보고 상황에 알맞은 붙임 딱지를 붙여 봄철 생활에 필요한 것을 알아봅니다.

봄철 생활 모습

선생님!

날씨가 따뜻해서 그런지 사람들이 많아요.

봄나들이를 나왔나 보구나.

봄이 되면 날씨가 따뜻해져 겨울에 사용했던 물건을 정리하고,

축제나 나들이를 즐기는 사람들이 많지.

주말에는 농촌에 계시는 할아버지 댁에 방문해서 농사 준비를 도와드릴래요.

농촌에서는 논과 밭을 갈구며 농사 준비를 하느라 바쁘단다.

결정했어요!

좋은 생각이야!

개념 콕!

봄철 생활 모습 알아보기

▲ 겨울 동안 나무를 감 쌌던 볏짚 떼어 내기

▲ 현장 체험 학습이나 소풍 가기

▲ 봄맞이 대청소하기

▲ 먼지바람이 부는 날에 는 마스크 쓰기

1 봄철 생활 모습으로 알맞은 것에 ○표 하세요.

물놀이를 해요.

봄나들이를 가요.

과수원에서 열매를 따요.

2 봄에 다음의 모습을 볼 수 있는 곳은 어디인지 **보기** 에서 찾아 쓰세요.

▲ 논과 밭을 갈아요.

보기

도시   농촌   어촌

(   )

3 봄에 먼지바람이 부는 날씨의 생활 모습을 바르게 이야기한 어린이의 이름을 쓰세요.

민구

봄 축제에 가요.

다정

사람들이
마스크를 써요.

지훈

창문을 활짝 열고
대청소를 해요.

(   )

봄철 생활에 필요한 것

봄철 생활에서 필요한 것들을 알아보자꾸나.

봄맞이 청소를 할 때에는 무엇이 필요할까?

저 알아요!

청소할 때에는 먼지떨이, 청소기, 손걸레 등이 필요해요.

그럼 나무나 꽃을 심을 때에는?

삽, 모종삽, 호미, 물뿌리개 등이 필요해요.

맞아!

우리도 학교 화단에 모종을 심어 보자꾸나.

선생님, 제가 땅을 팔게요.

휴~ 다 팠어요!

헉! 너무 열심히 팠구나……

개념 콕!

봄철 생활에 필요한 것 찾아보기

나무나 꽃을 심을 때
삽, 모종삽, 호미, 물뿌리개 등

청소할 때 대걸레, 손걸레, 쓰레받기, 빗자루, 먼지떨이, 청소기 등

나들이할 때 도시락 통, 모자, 사진기, 양산, 돗자리, 색안경 등

1 봄철 생활에 필요한 것을 다음 기준에 맞게 무리 지어 붙임 딱지를 붙이세요. ★붙임 딱지 ③

나무나 꽃을 심을 때	청소할 때
★붙임 딱지	★붙임 딱지

2 다음 질문에 대한 답을 찾아 길을 따라 선을 그리세요.

2일 봄맞이 청소

개념 콕! 봄맞이 청소하기

① 청소가 필요한 까닭: 깨끗한 곳에서 건강하게 생활하기 위해서입니다.

② 청소 방법

청소하기에 편한 옷을 입고 청소 도구 준비하기 → 창문 열고 먼지 떨기 → 책상 위와 속 정리하기 → 사물함과 학급 문고 정리하기 → 바닥 쓸고 닦기 → 책상 위치 정리하고 책상 닦기 → 청소 도구 정리하기 → 창문 닫기

1 다음 어린이들이 교실을 청소하는 모습을 보고, 빈칸에 알맞은 말을 쓰세요.

지저분한 ☐☐☐을 정리해요.

창틀의 ☐☐를 닦아요.

흩어져 있는 ☐☐☐☐의 책을 정리해요.

2 교실을 청소하는 순서에 알맞게 붙임 딱지를 붙이세요. 붙임 딱지 4

1

★붙임 딱지

2

★붙임 딱지

3

★붙임 딱지

4

★붙임 딱지

5

★붙임 딱지

6

★붙임 딱지

봄비

노래 들으면서 집에 갈 준비하자!

유리창에 예쁜 은구슬
쪼로로로롱 쪼로로로롱
떼굴떼굴 굴러 어디로 갈까
예쁜 은구슬

'쪼로로로롱' 노랫말을 듣고 어떤 모습이 생각났어?

빗방울이 유리창에 미끄러지며 내려오는 모습이 생각났어.

그럼 이건?

윽! 냄새!

그럼 '떼굴떼굴' 노랫말은?

빗방울이 굴러서 떨어지는 귀여운 모습!

개념 콕!

'봄비' 노래 부르기

① 리듬을 치며 부르기: 4박자의 기본 박을 손뼉 등으로 치며 노래를 부릅니다.

노랫말	유	리	창	에	예		쁜	
손뼉	👏		👏		👏		👏	

② 노랫말에 어울리는 리듬 악기로 표현하기: 탬버린의 북면을 치거나 테를 잡고 흔듭니다.

③ 노랫말에 어울리게 몸으로 표현하기: '쪼로로로롱'은 까치발로 빠르게 뛰어서, '떼굴떼굴'은 떼굴떼굴 굴러 표현할 수 있습니다.

1 다음 '봄비' 노랫말에서 빗방울이 유리창에 미끄러지며 내려오는 모습이 떠오르는 것에 ◯표 하세요.

유리창에 예쁜　　쪼로로로롱　　떼굴떼굴　　은구슬

2 손뼉으로 4박자의 기본 박을 치며 '봄비' 노래를 부르려고 해요. 손뼉을 쳐야 할 부분을 색칠하세요.

노랫말	유	리	창	에	예	쁜
손뼉						

3 다음 '봄비' 노랫말에 어울리게 표현한 동작을 알맞게 줄로 연결하세요.

쪼로로로롱~

떼굴떼굴~

까치발로 빠르게 뛰어요.

떼굴떼굴 굴러 보아요.

봄철 건강을 지키는 습관

 개념 콕!

봄을 건강하게 보내기 위해 해야 할 일 알아보기

먼지바람이 불 때	꽃가루가 날릴 때	날씨가 갑자기 추워졌을 때
• 되도록 외출을 하지 않고 안에서 지냄. • 외출할 때에는 마스크를 쓰고, 피부가 드러나는 것을 줄이는 긴 옷을 입음. • 외출 후 깨끗이 씻음.	• 창문을 닫아 꽃가루가 들어오는 것을 막음. • 눈 주위가 간지럽다고 손으로 함부로 비비지 않음. • 외출 후 옷을 잘 털고 몸을 깨끗이 씻음.	• 날씨에 알맞은 옷을 입고 외출할 때에 겉옷을 준비함. • 물을 충분히 마시고 음식을 골고루 먹으며, 운동을 꾸준히 함.

정답 10쪽

1 감기에 걸린 서우가 병원에 도착할 수 있도록 바른 길을 찾아 선을 그리세요.

2 다음 연우의 모습을 보고, 봄철 먼지바람이 부는 날 연우가 건강을 지키기 위해 한 것을 글자 카드에서 찾아 색칠하세요.

3주 학습 • **83**

3일

8자 놀이

우리 8자 놀이를 해 볼까?

8자 놀이? 어떻게 하는 거야?

먼저 8자 모양의 놀이판을 그리고 술래를 정해야 해.

술래는 8자 모양의 길 앞에 서는데, 술래는 강을 건널 수 없어.

길

강 · · 강

길

친구들이 8자 모양 안에 들어와 서면 술래는 하나부터 열까지 센 후에 출발해.

술래에게 잡히거나 금 밖으로 나가면 술래가 돼.

재미있을 것 같지?

응. 내가 바닥에 8자 모양을 그릴게.

야! 이 안에 어떻게 들어가?

킥킥~ 크기를 말 했어야지.

개념 콕!

8자 놀이 방법과 규칙 알아보기

8자 놀이

| 놀이 방법 | 술래는 8자 모양의 길 앞에 서고, 나머지 친구들이 8자 모양 안에 들어와 서면 술래는 열까지 센 후에 친구를 잡으러 출발함. |
| 놀이 규칙 | • 친구를 밀거나 너무 세게 잡지 않음.
• 술래의 위치를 확인하며 다른 친구들과 부딪치지 않도록 앞을 보고 달림. |

1 다음의 8자 놀이 방법을 순서에 알맞게 ○ 안에 번호를 쓰세요.

 술래는 8자 모양의 길 앞에 서요.

 운동장에 8자 모양의 놀이판을 만들어요.

 술래가 친구들을 잡으러 출발해요.

 친구들이 8자 모양 안에 들어와 서요.

2 다음 놀이에서 강을 건널 수 <u>없는</u> 사람을 찾아 ○표 하세요.

3 8자 놀이 규칙을 바르게 이야기한 어린이의 이름을 쓰세요.

( )

봄맞이 장식품 만들기

뭐 해?

봄 분위기를 느낄 수 있는 장식품을 만들고 있어.

장식품? 어떻게 만드는 거야?

삼각형 모양으로 접은 도화지에 그림을 그리거나 색종이를 오려 붙이고 끈을 끼워서 만들면 돼.

완성한 깃발 장식은 이렇게 창가에 걸어 둘 거야. 예쁘지?

응. 나도 만들어 볼래.

으, 보기보다 어렵네.

수북!

헉! 이게 다 뭐야?

개념 콕!

봄 분위기를 느낄 수 있는 장식품 만들기

방문 걸이 색 점 토로 방문에 걸 수 있도록 만듦.

깃발 장식 그림을 그린 깃발을 끈에 끼워 만듦.

액자 색종이를 접어 여러 개를 이어서 끼워 만듦.

꽃 화분 골판지를 말아 꽃을 만듦.

1 다음 사다리를 타고 내려가 봄을 느낄 수 있는 장식품을 찾아 번호에 ○표 하세요.

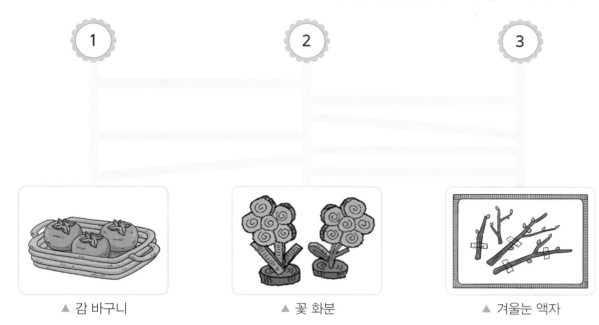

▲ 감 바구니   ▲ 꽃 화분   ▲ 겨울눈 액자

2 봄 분위기를 느낄 수 있도록 붙임 딱지를 붙여 집 안을 꾸미세요. 붙임 딱지 4

봄의 모습을 표현하는 방법

봄을 표현할 수 있는 좀 더 쉬운 방법은 없어?

물론 있지!

봄과 관련된 색을 찾아서 표현하는 거야.

개나리는 노란색, 철쭉은 분홍색, 새싹은 연두색, 청개구리는 초록색, 목련은 하얀색, 시냇물은 파란색으로 표현할 수 있어.

정말 봄을 잘 표현했네!

히히~.

나도 봄의 모습을 표현해 볼까?

그래.

으아~ 이것도 어렵잖아!

수북!

개념 콕!

봄의 모습 표현하기

스펀지에 물감을 묻혀서 표현함.

파스텔을 손으로 문질러서 표현함.

크레파스로 그려서 표현함.

손가락에 물감을 묻혀서 표현함.

1 다음 봄의 모습과 관련된 색을 알맞게 줄로 연결하세요.

개나리

새싹

철쭉

2 다양한 방법으로 봄의 모습을 표현해 그림을 완성하세요.

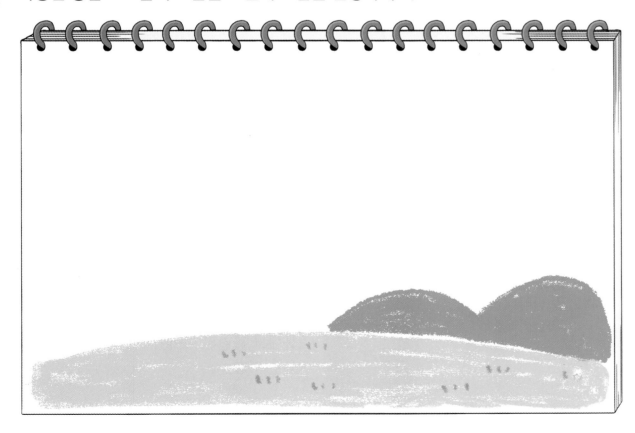

5일

봄에 있었던 일 떠올리기

우리 '봄에 있었던 일'하면 떠오르는 낱말을 얘기해 보자.

좋아. 내가 먼저 말해 볼게.

봄나들이

봄옷

가족

봄비

감기

치…킨

하하하~, 봄이랑 치킨이랑 무슨 상관이 있니?

나는 봄에 치킨이 생각난다고!

킥킥~ 햄버거랑 피자 생각은 안 나고?

개념 콕!

봄에 있었던 일을 떠올려 보고 나타내기

봄에 있었던 일 나타내기

생각그물로 나타내기 → 큰 범위의 주요 가지를 그리고 주요 가지와 관련된 경험을 나타낼 수 있는 부 가지를 그림.

경험 카드 만들기 → 가장 기억에 남는 경험을 그리거나 사진을 붙이고 관련된 이야기를 간단하게 쓰고 제목을 정함.

1 다음 봄에 있었던 일을 보고 떠오르는 낱말을 찾아 쓰세요.

소풍　　감기　　봄나물　　봄비　　먼지바람

2 봄에 있었던 일을 떠올려 보고, 다음 생각그물을 완성하세요.

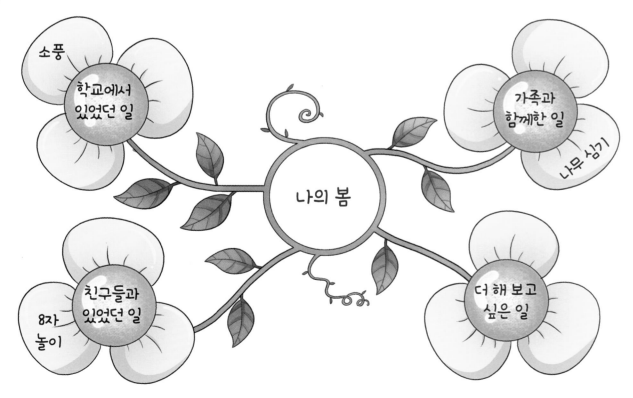

기억에 남는 장면 표현하기

개념 콕! 기억에 남는 장면 모자이크로 표현하기

어떤 장면을 표현할 것인지 정하기 → 도화지에 표현할 장면을 밑그림으로 그리기 → 필요한 색의 색종이를 작은 조각으로 자르기

→ 밑그림 위에 풀칠하기 → 밑그림 위에 색종이 조각을 붙이기 →

모자이크가 완성되었어요.

1 봄 날씨를 떠올려 본 것으로 알맞은 것에는 ○표, 알맞지 <u>않은</u> 것에는 ×표 하세요.

2 다음은 기억에 남는 장면을 모자이크로 표현하는 방법이에요. 빈칸에 알맞은 말을 쓰세요.

어떤 ☐ ☐ 을 표현할 것인지 정해요.

도화지에 밑그림을 그려요.

필요한 색의 색종이를 작은 조각으로 잘라요.

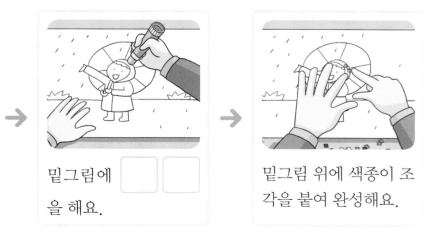

밑그림에 ☐ ☐ 을 해요.

밑그림 위에 색종이 조각을 붙여 완성해요.

1 봄철 따뜻하고 맑은 날의 생활 모습으로 알맞은 것을 찾아 기호를 쓰세요.

(   )

2 나무와 꽃을 심을 때 필요한 것이 <u>아닌</u> 것은 어느 것인가요? (   )

① 삽   ② 호미

③ 모종삽   ④ 빗자루

⑤ 물뿌리개

3 교실 청소를 할 때 가장 먼저 해야 할 일을 찾아 ○표 하세요.

▲ 창문 열기   ▲ 바닥 닦기   ▲ 청소 도구 정리하기

(   )   (   )   (   )

4 다음의 봄철 날씨에 건강을 지키기 위해 해야 할 일에서 빈칸에 알맞은 말을 쓰세요.

▲ 날씨가 갑자기 추워졌을 때

- 봄이라고 해서 무조건 옷을 얇게 입지 말고 ☐
  ☐ 에 알맞은 옷을 입어요.
- 물을 충분히 마시고 음식을 ☐ ☐ ☐ 먹으
  며, 운동을 꾸준히 해요.

5 다음과 같은 방법으로 만든 장식품을 알맞게 줄로 연결하세요.

색점토 붙이기	색종이 접기	골판지 말기
•	•	•
•	•	•

6 다음 봄의 모습을 표현하는 방법에서 사용한 것은 무엇인가요? (   )

① 물감   ② 파스텔
③ 사인펜   ④ 색연필
⑤ 크레파스

생각을 넓혀요 창의·융합·코딩 1

봄 추위가 장독 깬다

+ 정답 12쪽

3주

🔍 꽃샘추위에 대해 알아봐요!

우리나라의 초봄인 3, 4월 경에 꽃샘추위가 찾아오는데요.
봄이 오면 계속 따뜻해지다가 꽃이 피는 것을 샘내는 듯 일시적으로 갑자기 찾아오는 추위를 꽃샘추위라고 해요. 꽃샘추위가 오면 갑자기 쌀쌀해진 날씨 때문에 감기와 같은 질병에 걸리기 쉬워 옷을 따뜻하게 입어야 해요.

퀴즈 팡!

봄에 개나리나 진달래 등의 꽃이 피기 시작할 때 찾아오는 뜻밖에 추위는?

답

생각을 키워요 창의·융합·코딩 2

융합

1 건우는 친구들과 함께 생태 공원으로 체험 학습을 갔어요. 건우가 생태 공원 입구에서 버스를 타는 곳까지 길을 찾아가며 본 개구리는 모두 몇 마리인지 빈칸에 숫자로 쓰세요.

건우가 생태 공원에서 본 개구리는 모두 [ ]마리예요.

2 단아네 가족은 봄나들이를 가려고 해요. 나들이에 필요한 도구들을 챙겨 갈 수 있도록 코딩 카드에 알맞은 숫자를 쓰세요.

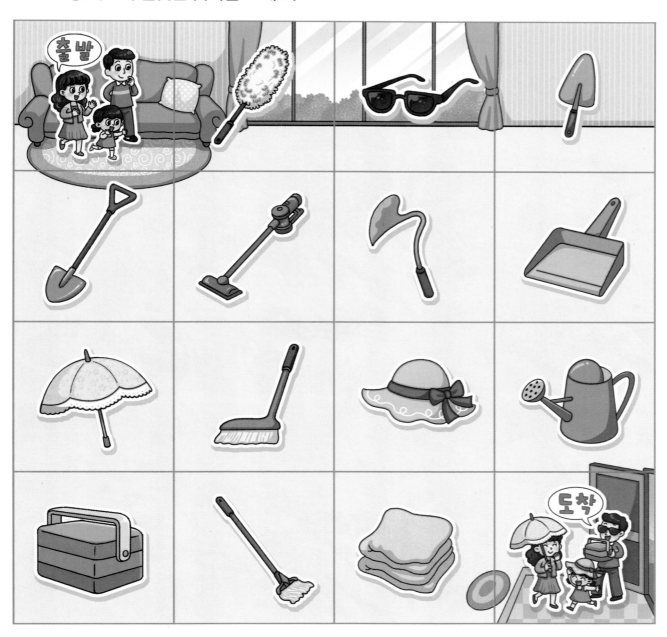

생각을 키워요

창의

3 봄을 건강하게 보내기 위해 해야 할 일을 떠올려 보며 두 그림에서 다른 부분을 다섯 군데 찾아 ○표 하세요.

창의

4 다음 각 물감에 연결된 선을 따라 도착한 곳에 물감의 색깔과 관련된 봄의 모습을 찾아 붙임 딱지를 붙이세요. **붙임 딱지 4**

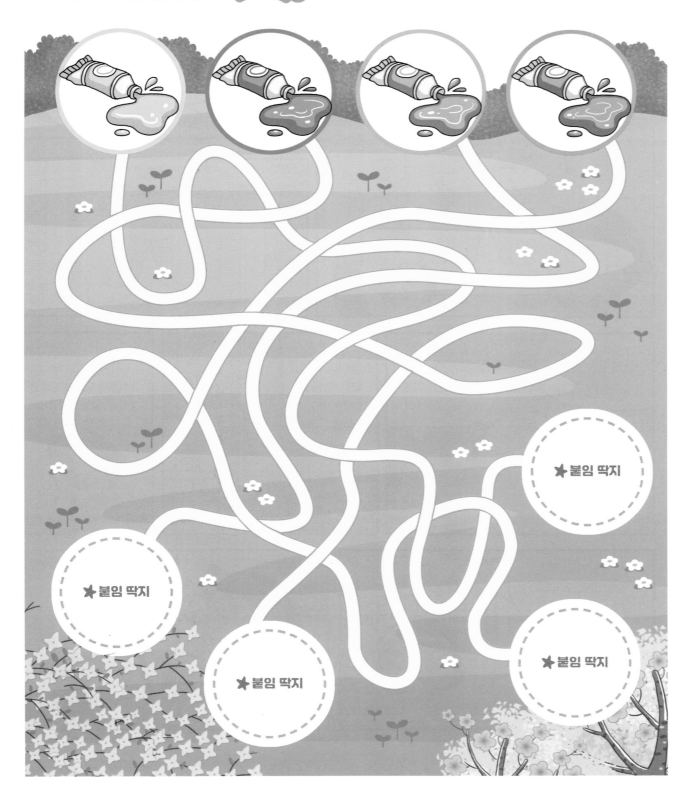

공부한 내용을 정리해요

마무리
학습

1 예지는 퀴즈 대회에 나갔어요. 문제를 맞히면 5점을 얻고, 문제를 틀리면 3점을 잃는다고 하였을 때 4단계를 모두 끝낸 후 예지의 점수를 계산하여 빈칸에 쓰세요.

1단계

얼굴에는 머리카락, 눈, 코, 입, 다리가 있습니다. (○ , ×)

×

2단계

여러 가지 소리를 들을 수 있는 몸의 부분은 어디인가요?

코

3단계

음식을 (먹기 전 , 먹은 후)에는 이를 닦아야 합니다.

먹은 후

4단계

손을 닦아야 하는 때는 언제입니까?

식사 전

예지의 점수는 ☐ 점이에요.

+ 정답 13쪽

2 지우가 몸이 아파 병원에 가려고 할 때 아픈 곳에 따라 가야 하는 병원을 지시에 따라 이동한 후 도착한 병원이 어디인지 쓰세요.

다리를 다쳤을 때	오른쪽으로 한 칸 이동 ➜ 위쪽으로 두 칸 이동	→	
이가 썩었을 때	왼쪽으로 두 칸 이동 ➜ 위쪽으로 네 칸 이동	→	
목이 아플 때	왼쪽으로 두 칸 이동 ➜ 위쪽으로 두 칸 이동 ➜ 오른쪽으로 한 칸 이동	→	

예쁜이 치과

맑은 안과

매콤분식

알뜰 마트

SALE

숨 이비인후과

튼튼 정형외과

쑥쑥 소아청소년과

콩이문구점

출발

3

은우가 외출을 하기 위해 옷을 갈아입으려고 해요. 은우가 날씨에 알맞은 옷을 입어 봄철 건강을 지킬 수 있도록 선을 그리세요.

4 봄철 효주네 마을 사람들의 생활 모습을 보고, 마을 사람들이 봄을 건강하게 보내기 위해 고쳐야 할 점을 빈칸에 쓰세요.

창문을 닫아 꽃가루가 들어오는 것을 막아요.

눈 주위가 간지럽다고 손으로 함부로 비비지 않아요.

먼지바람이 부는 날에는

_____

_____

감기에 걸렸구나?

에취!

갑자기 추워질 수도 있으므로 외출할 때에는 겉 옷 을 준 비 해 요 .

기초 종합 정리 문제

1 하준이는 손거울을 사용하여 얼굴을 살펴보고 있어요. 하준이가 볼 수 있는 부분이 <u>아닌</u> 것은 어느 것인가요? (   )

① 눈　　　　　　　　② 코

③ 입　　　　　　　　④ 눈썹

⑤ 무릎

2 이를 닦아야 하는 때를 찾아 ○표 하세요.

▲ 화장실에 다녀온 후　　　　　▲ 식사 후　　　　　▲ 동물을 만진 후

(　　　　　　　) (　　　　　　　) (　　　　　　　)

3 아픈 곳에 따라 가야 하는 병원을 알맞게 줄로 연결하세요.

구름사다리에서
떨어져 다리를
다쳤어요.　　•

정형외과

초콜릿과 사탕을
많이 먹어서 이가
썩었어요.　　•

치과

+ 정답 14쪽

4 다음 성장흐름표에서 □ 안에 들어갈 알맞은 내용에 ○표 하세요.

(1) 처음 걸었어요. ( )

(2) 초등학교에 들어갔어요. ( )

(3) 유치원에서 생일잔치를 했어요.
( )

(4) 숟가락, 젓가락을 사용할 수 있게 되었
어요. ( )

5 다음 마음 신호등 3단계 표현 방법에서 가장 먼저 해야 할 일에 숫자 '1'을 쓰세요.

생각하기   표현하기   멈추기

( ) ( ) ( )

6 다음은 몸과 마음이 건강해지는 데 도움이 되는 습관이에요. 빈칸에 알맞은 말을 쓰
세요.

□ 이 건강해지는 습관	□ 이 건강해지는 습관
▲ 골고루 먹기 ▲ 줄넘기하기	▲ 책 읽기 ▲ 부모님과 대화하기

7 점점 커지는 악기 소리를 듣고 떠오른 움직임을 몸으로 표현한 것에 ◯표 하세요.

> 꽃이 피어나는 모습을 표현했어요.

(   )

> 바람이 멈추는 모습을 표현했어요.

(   )

8 다음 민구가 좋아하는 것과 잘하는 것을 바탕으로 민구가 되고 싶은 것은 무엇인지 쓰세요.

좋아하는 것	잘하는 것
친구들과 공놀이를 할 때 제일 재미있어요.	축구 시합에 나가서 우리 팀이 1등을 했어요.

(   )

9 소고 장단을 치며 '봄아 어디까지 왔니' 노래를 부를 때 장단을 치기에 알맞지 <u>않은</u> 곳은 어디인가요? (   )

어		디	까		지	왔			니	
①			②			③			④	⑤

10 다음 봄철 옷차림과 관련 있는 봄 날씨의 특징을 글자 카드에서 찾아 네 글자로 쓰세요.

▲ 긴소매 옷을 입고 마스크를 써요.

봄	람	꽃	따
먼	눈	비	바
샘	뜻	지	추

(   )

11 나들이할 때 필요한 것은 어느 것인가요? (   )

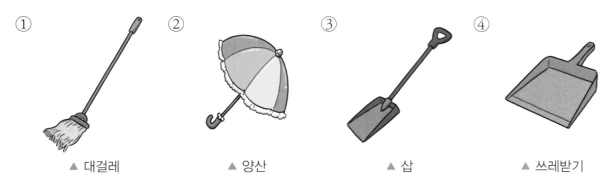

① ▲ 대걸레   ② ▲ 양산   ③ ▲ 삽   ④ ▲ 쓰레받기

12 봄철 건강을 지키기 위해 스스로 노력한 어린이에게 ○표 하세요.

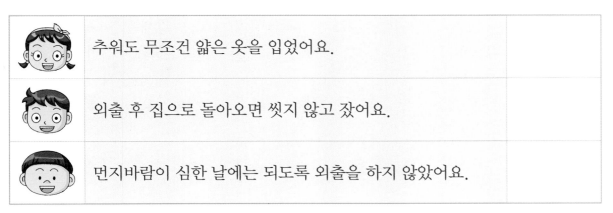

	추워도 무조건 얇은 옷을 입었어요.	
	외출 후 집으로 돌아오면 씻지 않고 잤어요.	
	먼지바람이 심한 날에는 되도록 외출을 하지 않았어요.	

1 다음과 같은 일을 하는 부분을 찾아 ○표 하세요.

> 말을 할 수 있고, 음식을 먹을 수 있어요.

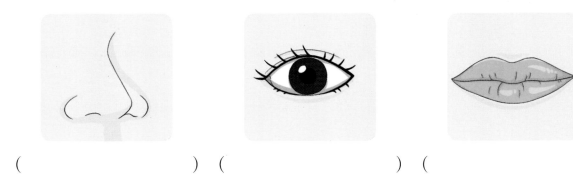

(   )   (   )   (   )

2 몸을 깨끗하게 하는 방법을 바르게 이야기한 어린이의 이름을 쓰세요.

음식을 먹은 후에는
이를 닦지 않아요.
다정

외출 후에는 손발을
잘 씻어야 해요.
지훈

목욕을 하고 속옷을
갈아입지 않아요.
민구

(   )

3 다음 '까치야, 까치야' 놀이 방법에서 (   ) 안의 알맞은 말에 ○표 하세요.

- 중강새는 "까치야, 까치야, 헌 이 줄게, 새 이 다오."라고 외치며 신문지 공을 (받아요 , 던져요).
- 까치는 "예쁜 이 줄게"라고 말하며 신문지 공을 (받아요 , 던져요).

+ 정답 15쪽

4 다음은 어떤 표정을 지어 본 것인지 빈칸에 알맞은 말을 쓰세요.

[　　　　] 표정　　　　[　　　　] 표정　　　　[　　　　] 표정

5 윤호는 악기 소리를 듣고 떠오르는 움직임을 몸으로 표현하고 있어요. 윤호가 떠올린 움직임으로 알맞은 것은 어느 것인가요? (　　　　)

① 개구리가 뛰는 모습
② 토끼가 뛰어가는 모습
③ 비행기가 날아가는 모습
④ 오뚝이가 움직이는 모습
⑤ 달팽이가 기어가는 모습

6 소연이가 꿈을 이룬 모습을 소개하고 있어요. 소연이의 꿈은 무엇인지 쓰세요.

저는 사람들의 얼굴 그리는 것을 좋아해요. 친구들 얼굴도 모두 그려 줄 거예요.

(　　　　　　　　　　)

7 다음과 같은 풍경을 볼 수 있는 계절은 언제인지 쓰세요.

파릇파릇 새싹이 돋았어요.

길가에 노란 개나리가 피었어요.

(   )

8 봄의 모습을 찾아 ○표 하세요.

(1)

(2)

(   )   (   )

9 먼지바람이 불 때의 옷차림으로 알맞은 것은 어느 것인가요? (   )

①  ②  ③  ④

10 다음 봄철 생활에 필요한 것을 찾아 알맞게 줄로 연결하세요.

▲ 먼지떨이

▲ 모종삽

11 깨끗한 곳에서 건강하게 생활하기 위해서 우리가 하는 일을 글자 카드에서 찾아 두 글자로 쓰세요.

| 사 | 풍 | 청 | 이 | 농 | 들 | 소 | 나 |

(   )

12 다음 봄의 모습에서 찾을 수 있는 색깔은 어느 것인가요? (   )

① 노란색   ② 빨간색
③ 분홍색   ④ 초록색
⑤ 하얀색

학력 진단 TEST

1 다음 어린이가 몸에서 꼭 씻어야 하는 부분은 어디인가요? (   )

▲ 식사 전

① 손　　　　　　② 입
③ 머리　　　　　④ 다리

2 천둥 소리에 놀란 표정을 표현한 것에 ○표 하세요.

(　　　　　)　　　(　　　　　)　　　(　　　　　)

3 다음 꿈을 몸으로 표현한 모습을 알맞게 줄로 연결하세요.

▲ 소방관

▲ 농부

4 일기 예보가 필요한 경우가 <u>아닌</u> 것은 어느 것인가요? (   )

① 소풍 갈 때
② 책을 읽을 때
③ 농사를 지을 때
④ 비행기가 이동할 때

5 다음 봄철 사람들의 생활 모습을 보고 빈칸에 알맞은 낱말을 보기 에서 찾아 쓰세요.

보기

소풍　　대청소　　이사　　나무　　봄나물

를 해요.

을 가요.

를 심어요.

6 골판지를 말아서 만든 장식품은 어느 것인가요? (   )

①
▲ 삼각 깃발

②
▲ 꽃 화분

③
▲ 방문 걸이

④
▲ 액자

1 다음 몸에 있는 여러 부분의 이름을 쓰세요.

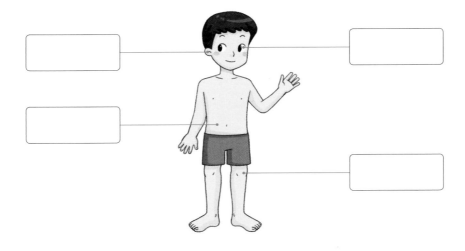

2 다음 어린이가 가야 하는 병원은 어디인가요? (   )

감기에 걸려서 머리가 아파요.

① 치과   ② 안과

③ 정형외과   ④ 소아청소년과

3 요리사의 꿈을 이룬 모습을 소개하는 어린이에 ○표 하세요.

세계 여러 곳을 다니며 멋진 풍경을 그렸어요.

호텔 주방에서 맛있는 음식을 만들어요.

곧 우주여행을 떠날 계획이에요.

(   )   (   )   (   )

4 다음 옷차림이 어울리는 날씨는 어느 것인가요? (　　　　)

① 맑고 따뜻한 날
② 갑자기 추워진 날
③ 봄비가 내리는 날
④ 먼지바람이 심한 날

5 다음 '봄비' 노래의 노랫말에 어울리는 리듬 악기는 무엇인가요? (　　　　)

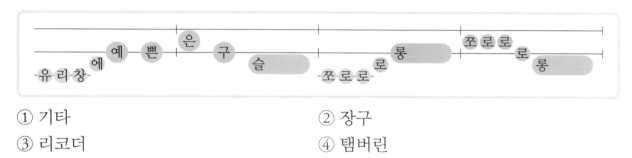

① 기타　　　　　　　　　　② 장구
③ 리코더　　　　　　　　　④ 탬버린

6 다음 8자 놀이 방법에서 빈칸에 알맞은 말을 쓰세요.

술래는 8자 모양의 길 앞에 서고, [　　　]
을 건널 수 없음.

친구들이 8자 모양 안에 들어와 서고, 술래는
하나부터 열까지 센 후에 출발함.

술래에게 잡히거나 금 밖으로 나간 친구가
다시 [　　　] 가 됨.

마무리
학습

memo

정답

바른 생활
슬기로운 생활
즐거운 생활

2-1

차례

27쪽

개념 익히기

1 몸이 건강해지는 데 도움이 되는 습관과 마음이 건강해지는 데 도움이 되는 습관으로 나누어 번호를 쓰세요.

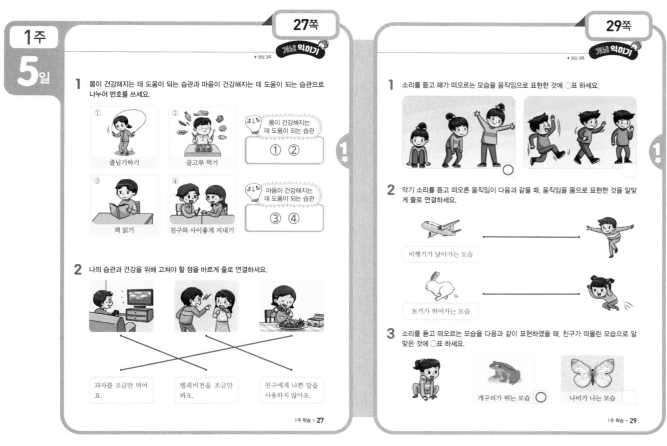

① 줄넘기하기   ② 골고루 먹기

몸이 건강해지는 데 도움이 되는 습관
① ②

③ 책 읽기   ④ 친구와 사이좋게 지내기

마음이 건강해지는 데 도움이 되는 습관
③ ④

2 나의 습관과 건강을 위해 고쳐야 할 점을 바르게 줄로 연결하세요.

과자를 조금만 먹어요.   텔레비전을 조금만 봐요.   친구에게 나쁜 말을 사용하지 않아요.

1주 학습 · 27

29쪽

개념 익히기

1 소리를 듣고 해가 떠오르는 모습을 움직임으로 표현한 것에 ○표 하세요.

2 악기 소리를 듣고 떠오른 움직임이 다음과 같을 때, 움직임을 몸으로 표현한 것을 알맞게 줄로 연결하세요.

비행기가 날아가는 모습

토끼가 뛰어가는 모습

3 소리를 듣고 떠오르는 모습을 다음과 같이 표현하였을 때, 친구가 떠올린 모습으로 알맞은 것에 ○표 하세요.

개구리가 뛰는 모습 ○   나비가 나는 모습

1주 학습 · 29

1주 누구나 100점 TEST

30~31쪽

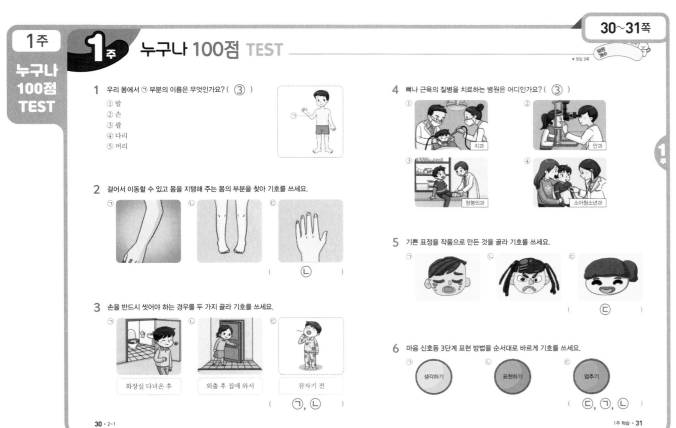

1 우리 몸에서 ㉠ 부분의 이름은 무엇인가요? (③)

① 발
② 손
③ 팔
④ 다리
⑤ 머리

2 걸어서 이동할 수 있고 몸을 지탱해 주는 몸의 부분을 찾아 기호를 쓰세요.

㉠   ㉡   ㉢

(㉡)

3 손을 반드시 씻어야 하는 경우를 두 가지 골라 기호를 쓰세요.

㉠ 화장실 다녀온 후   ㉡ 외출 후 집에 와서   ㉢ 잠자기 전

(㉠, ㉡)

4 뼈나 근육의 질병을 치료하는 병원은 어디인가요? (③)

① 치과   ② 안과   ③ 정형외과   ④ 소아청소년과

5 기쁜 표정을 작품으로 만든 것을 골라 기호를 쓰세요.

㉠   ㉡   ㉢

(㉢)

6 마음 신호등 3단계 표현 방법을 순서대로 바르게 기호를 쓰세요.

㉠ 생각하기   ㉡ 표현하기   ㉢ 멈추기

(㉢, ㉠, ㉡)

정답

1주 창의·융합·코딩

세균에 대해 알아봐요!

세균은 크기가 아주 작고 생김새가 단순한 생물이에요. 세균은 땅이나 물, 신발 속, 입안, 손톱 등 이 세상 어디에나 있지만 너무 작아서 우리 눈에 보이지는 않아요. 식중독, 폐렴, 그리고 여드름 같은 피부병을 일으키기도 해요.

퀴즈 팡!
손을 잘 씻어야 하는 것은 손에 질병을 일으키는 무엇이 있기 때문인가요?

답 세 균

코딩

1 제시된 질문에 대한 대답으로 우리 몸의 부분이 하는 일이 알맞으면 '예', 알맞지 않으면 '아니요'에 ○표를 하며 화살표를 따라 도착지까지 가 보세요.

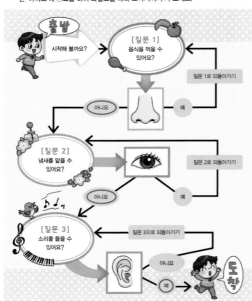

융합

2 아플 때 가야 하는 병원에 대한 질문이에요. 길을 따라가서 질문의 답인 병원에 있는 자음자와 모음자를 번호 순서대로 모았을 때 만들어지는 두 글자를 쓰세요.

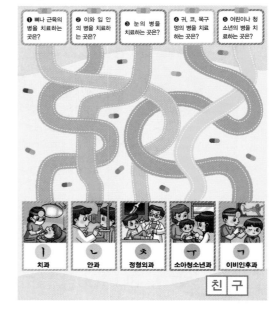

친 구

창의

3 악기 소리를 듣고 떠오른 모습을 동작으로 표현하고 있어요. 각 상황에 연결된 사다리를 타고 도착한 곳에 어울리는 동작을 붙임 딱지에서 찾아 붙이세요.

융합

4 학교 가는 길에 나의 몸과 마음을 건강하게 하는 습관이면 주머니 안의 숫자를 더하고, 고쳐야 할 생활 습관이면 그냥 지나쳐야 해요. 학교에 도착했을 때 숫자를 모두 더한 값은 얼마인지 쓰세요.

9

2주 1일

43쪽

개념 익히기

+ 정답 5쪽

1 내가 좋아하는 것에 대해 이야기한 친구를 찾아 ○표 하세요.

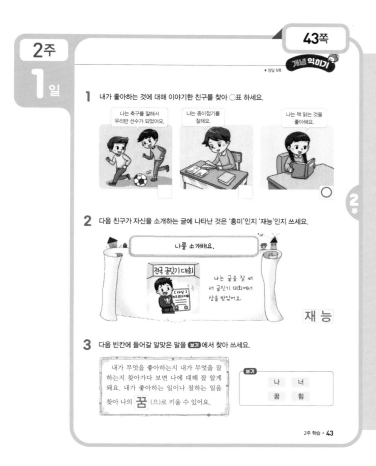

> 나는 축구를 잘해서 우리 반 선수가 되었어요.
>
> 나는 종이접기를 잘해요.
>
> 나는 책 읽는 것을 좋아해요.

2 다음 친구가 자신을 소개하는 글에 나타난 것은 '흥미'인지 '재능'인지 쓰세요.

나를 소개해요.

전국 글짓기 대회

나는 글을 잘 써서 글짓기 대회에서 상을 받았어요.

재 능

3 다음 빈칸에 들어갈 알맞은 말을 보기에서 찾아 쓰세요.

> 내가 무엇을 좋아하는지 내가 무엇을 잘 하는지 찾아가다 보면 나에 대해 잘 알게 돼요. 내가 좋아하는 일이나 잘하는 일을 찾아 나의 **꿈** (으)로 키울 수 있어요.

보기

나 너
꿈 힘

2주 학습 • 43

45쪽

개념 익히기

+ 정답 5쪽

1 미래의 나의 모습을 그리기 위한 종이를 준비하는 순서대로 ☐ 안에 번호를 쓰세요.

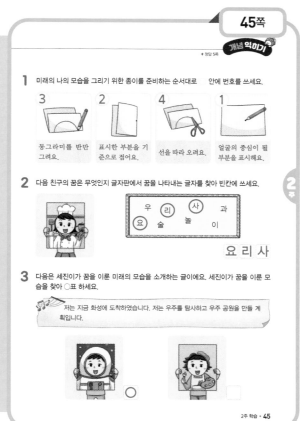

3 동그라미를 반만 그려요.

2 표시한 부분을 기준으로 접어요.

4 선을 따라 오려요.

1 얼굴의 중심이 될 부분을 표시해요.

2 다음 친구의 꿈은 무엇인지 글자판에서 꿈을 나타내는 글자를 찾아 빈칸에 쓰세요.

우	리	사	과
요	술	놀	이

요 리 사

3 다음은 세진이가 꿈을 이룬 미래의 모습을 소개하는 글이에요. 세진이가 꿈을 이룬 모습을 찾아 ○표 하세요.

> 저는 지금 화성에 도착하였습니다. 저는 우주를 탐사하고 우주 공원을 만들 계획입니다.

2주 학습 • 45

2주 2일

47쪽

개념 익히기

+ 정답 5쪽

1 다음 친구들이 몸으로 표현하고 있는 꿈은 무엇인지 보기에서 찾아 쓰세요.

> 골키퍼가 되어서 골대로 들어오는 공을 손과 발로 막아 보자.
>
> 발로 공을 차는 모습은 어때?

보기

화가 농부
축구 선수 의사

(**축구 선수**)

2 친구들의 꿈 표현 동작을 보고 친구들이 표현한 꿈은 무엇인지 붙임 딱지에서 찾아 붙이세요.

호스를 잡고 불을 끄고 있어요.

응급처치를 하고 있어요.

표현한 꿈

소방관

칠판에 글씨를 쓰고 있어요.

받아쓰기를 불러 주고 있어요.

표현한 꿈

165 + 7 =

선생님

2주 학습 • 47

49쪽

개념 익히기

+ 정답 5쪽

1 나의 흥미와 재능 등을 소개할 때 공연으로 보여 줄 수 있는 것을 두 가지 골라 ○표 하세요.

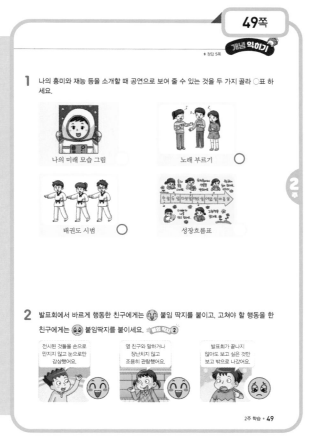

나의 미래 모습 그림

노래 부르기

태권도 시범

성장흐름표

2 발표회에서 바르게 행동한 친구에게는 😊 붙임 딱지를 붙이고, 고쳐야 할 행동을 한 친구에게는 😣 붙임딱지를 붙이세요.

전시된 것들을 손으로 만지지 않고 눈으로만 감상했어요.

옆 친구와 말하거나 장난치지 않고 조용히 관람했어요.

발표회가 끝나지 않아도 보고 싶은 것만 보고 밖으로 나갔어요.

2주 학습 • 49

정답 • **5**

정답

+ 정답 6쪽

개념 익히기

1 다음 사진과 같은 모습을 볼 수 있는 계절을 찾아 ○표 하세요.

| 봄 | 여름 |
| 가을 | 겨울 |

(봄에 ○표)

2 친구들이 학교 주변을 둘러보며 봄의 모습과 느낌을 몸짓으로 표현하고 있어요. 나비가 훨훨 날아가는 모습과 꽃이 피어나는 모습을 몸짓으로 표현한 모습을 붙임 딱지에서 찾아 붙이세요. 붙임 딱지 ②

2주 학습 • 51

+ 정답 6쪽

개념 익히기

1 '봄아 어디까지 왔니' 노래를 부르는 모습입니다. 묻고 답하는 형식으로 부를 때 빈칸에 들어갈 노랫말로 알맞은 것에 ○표 하세요.

산 너머에 왔지

동구 밖에 왔지

어디까지 왔니? ○ 산 너머에 왔지.

2 다음 ( ) 안에 들어갈 알맞은 말을 오른쪽에서 찾아 ○표 하세요.

'봄아 어디까지 왔니' 노랫말은 ( )에게 빨리 오라고 이야기를 하는 것 같아요.

| 봄 | 여름 |
| 가을 | 겨울 |

(봄에 ○표)

3 다음과 같이 장단을 치며 노래를 부를 때 사용한 악기의 이름을 쓰세요.

| 어 | 디 | 까 | 지 | 왔 | | 니 |

소고

2주 학습 • 53

+ 정답 6쪽

개념 익히기

1 겨울과 봄의 모습을 붙임 딱지에서 찾아 계절에 알맞게 붙임 딱지를 붙이세요. 붙임 딱지 ②

겨울

봄

2 겨울과 봄 중 친구들의 다섯 고개 질문의 답에 해당하는 계절을 빈칸에 쓰세요.

사람들은 얇은 옷을 입나요? 예.
얼음이 꽁꽁 얼어 있나요? 아니요.
창문을 열어 두고 바깥 활동을 많이 하나요? 예.
농사를 짓기 시작하나요? 예.
나뭇가지에 잎이 없나요? 아니요.

이 계절은 봄 입니다.

3 다음 ( ) 안의 알맞은 말에 ○표 하세요.

겨울과 봄의 모습이 달라지는 것은 겨울에는 날씨가 (춥고 따뜻하고), 봄에는 날씨가 (춥기 따뜻하기) 때문이에요.

(춥고에 ○표, 따뜻하기에 ○표)

2주 학습 • 55

+ 정답 6쪽

개념 익히기

1 다음 빈칸에 알맞은 말을 쓰세요.

뉴스, 인터넷, 신문 등의 일기 예보에서 봄 날씨 를 확인할 수 있어요.

2 그림의 봄 날씨와 관련이 있는 것을 보기 에서 찾아 쓰세요.

보기
따뜻함 봄비
먼지바람 더위

(먼지바람)

3 봄 날씨의 특징으로 알맞지 않은 것에 ×표 하세요.

따뜻한 날이 많아요. 봄비가 내리기도 해요. 눈이 많이 내려요.

2주 학습 • 57

+ 정답 7쪽

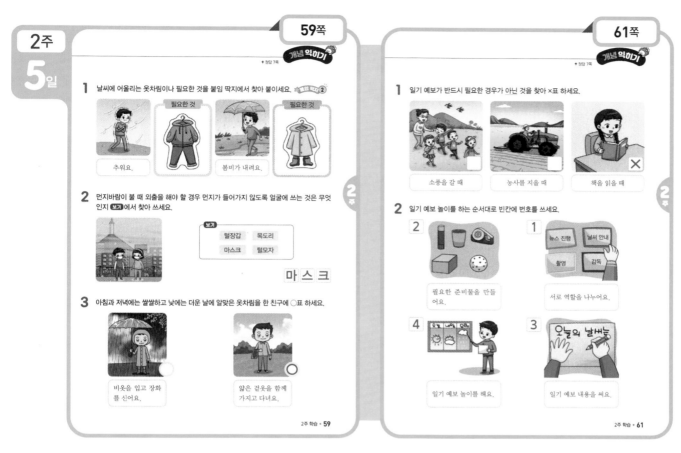

1 날씨에 어울리는 옷차림이나 필요한 것을 붙임 딱지에서 찾아 붙이세요.

추워요.

필요한 것

봄비가 내려요.

필요한 것

2 먼지바람이 불 때 외출을 해야 할 경우 먼지가 들어가지 않도록 얼굴에 쓰는 것은 무엇인지 보기 에서 찾아 쓰세요.

보기
털장갑   목도리
마스크   털모자

마 스 크

3 아침과 저녁에는 쌀쌀하고 낮에는 더운 날에 알맞은 옷차림을 한 친구에 ○표 하세요.

비옷을 입고 장화를 신어요.

얇은 겉옷을 함께 가지고 다녀요.

2주 학습 • 59

+ 정답 7쪽

1 일기 예보가 반드시 필요한 경우가 아닌 것을 찾아 ×표 하세요.

소풍을 갈 때

농사를 지을 때

책을 읽을 때 ×

2 일기 예보 놀이를 하는 순서대로 빈칸에 번호를 쓰세요.

2

필요한 준비물을 만들어요.

1
뉴스 진행   날씨 안내
촬영   감독

서로 역할을 나누어요.

4

일기 예보 놀이를 해요.

3
오늘의 날씨

일기 예보 내용을 써요.

2주 학습 • 61

2주 누구나 100점 TEST

+ 정답 7쪽

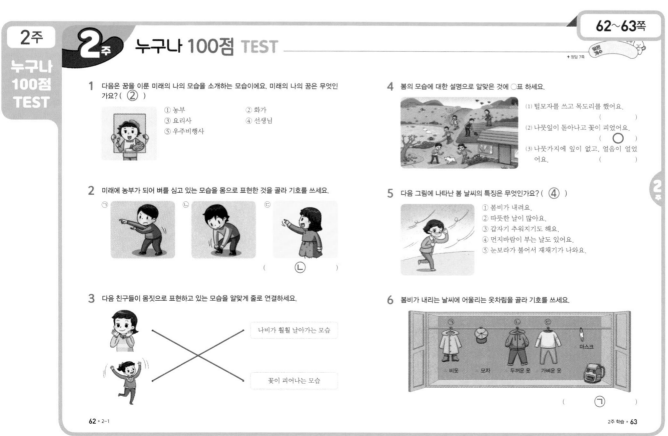

1 다음은 꿈을 이룬 미래의 나의 모습을 소개하는 모습이에요. 미래의 나의 꿈은 무엇인가요? (②)

① 농부   ② 화가
③ 요리사   ④ 선생님
⑤ 우주비행사

2 미래에 농부가 되어 벼를 심고 있는 모습을 몸으로 표현한 것을 골라 기호를 쓰세요.

㉠   ㉡   ㉢

(㉡)

3 다음 친구들이 몸짓으로 표현하고 있는 모습을 알맞게 줄로 연결하세요.

나비가 훨훨 날아가는 모습

꽃이 피어나는 모습

4 봄의 모습에 대한 설명으로 알맞은 것에 ○표 하세요.

(1) 털모자를 쓰고 목도리를 했어요.
(   )
(2) 나뭇잎이 돋아나고 꽃이 피었어요.
(   )
(3) 나뭇가지에 잎이 없고, 얼음이 얼었어요.
(   )

5 다음 그림에 나타난 봄 날씨의 특징은 무엇인가요? (④)

① 봄비가 내려요.
② 따뜻한 날이 많아요.
③ 갑자기 추워지기도 해요.
④ 먼지바람이 부는 날도 있어요.
⑤ 눈보라가 불어서 재채기가 나와요.

6 봄비가 내리는 날씨에 어울리는 옷차림을 골라 기호를 쓰세요.

㉠ 비옷   ㉡ 모자   ㉢ 두꺼운 옷   가벼운 옷   마스크

(㉠)

62 • 2-1

2주 학습 • 63

2주
창의
융합
코딩

먼지바람에 대해 알아봐요!

먼지바람은 황사와 미세 먼지를 말합니다. 황사는 주로 중국에서 날아오는 아주 작은 모래 먼지이고, 미세 먼지는 공장이나 자동차 등에서 생겨나 공기 중에 오랫동안 떠다니는 아주 작은 먼지로 해로운 것들이 들어 있어요.

퀴즈 짱! 공장이나 자동차 등에서 생겨나 공기 중에 오랫동안 떠다니는 아주 작은 먼지로 해로운 것들이 들어 있는 것은 무엇일까요?

답 미세 먼지

1 꿈을 이룬 모습을 설명한 내용에 연결된 길을 따라가 도착한 곳에 그 꿈을 이룬 모습을 찾아 붙임 딱지를 붙이세요.

2 송이가 길을 잃은 강아지를 찾고 있어요. 친구들의 꿈 표현 동작을 보고 알맞은 꿈에 ○표를 하며 따라가면 강아지를 만날 수 있어요. 길을 바르게 찾아 강아지를 만나보세요.

3 다음 명령어에 따라 움직이면 먼지바람이 부는 날과 햇빛이 강한 날에 필요한 물건을 찾을 수 있어요. 필요한 물건은 무엇인지 빈칸에 각각 쓰세요.

4 다음은 윤아네 모둠에서 일기 예보 놀이를 하는 모습이에요. 일기 예보 내용을 보고, 외출할 때 준비해야 할 물건을 쓰세요.

일기 예보 내용

오늘은 하루 종일 비가 내릴 것으로 예상됩니다. 외출하실 때에는 비옷이나 　　　 을 꼭 준비하시기 바랍니다. 내일 비가 그치면서 따뜻한 날씨가 주말까지 이어져 주말에는 가족들이 함께 봄나들이를 하기에 아주 좋겠습니다.

우 산

개념 익히기

1 봄철 생활 모습으로 알맞은 것에 ○표 하세요.

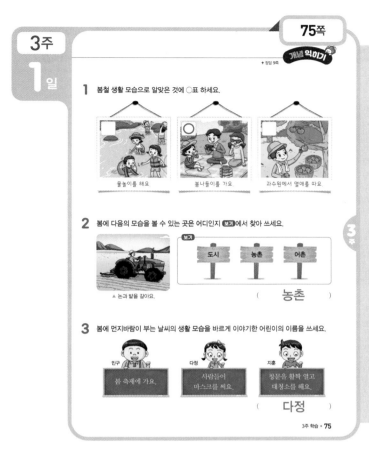

물놀이를 해요 / 봄나들이를 가요 / 과수원에서 열매를 따요

2 봄에 다음의 모습을 볼 수 있는 곳은 어디인지 보기에서 찾아 쓰세요.

보기: 도시 / 농촌 / 어촌

▲ 논과 밭을 갈아요.

(농촌)

3 봄에 먼지바람이 부는 날씨의 생활 모습을 바르게 이야기한 어린이의 이름을 쓰세요.

민구: 봄 축제에 가요.
다정: 사람들이 마스크를 써요.
지훈: 창문을 활짝 열고 대청소를 해요.

(다정)

3주 학습 · 75

개념 익히기

1 봄철 생활에 필요한 것을 다음 기준에 맞게 무리 지어 붙임 딱지를 붙이세요.

나무나 꽃을 심을 때 / 청소할 때

2 다음 질문에 대한 답을 찾아 길을 따라 선을 그리세요.

나들이할 때 필요한 것?

3주 학습 · 77

개념 익히기

1 다음 어린이들이 교실을 청소하는 모습을 보고, 빈칸에 알맞은 말을 쓰세요.

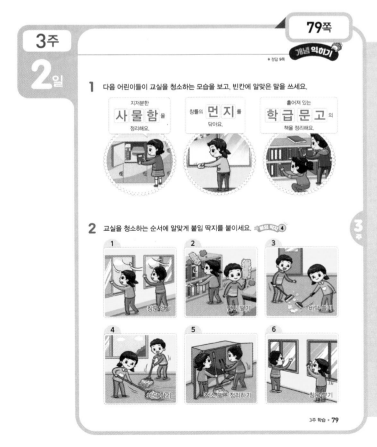

지저분한 **사물함**을 정리해요.
창틀의 **먼지**를 닦아요.
흩어져 있는 **학급문고**의 책을 정리해요.

2 교실을 청소하는 순서에 알맞게 붙임 딱지를 붙이세요.

1 창문열기 / 2 먼지떨기 / 3 바닥쓸기 / 4 바닥닦기 / 5 청소도구 정리하기 / 6 창문닫기

3주 학습 · 79

개념 익히기

1 다음 '봄비' 노랫말에서 빗방울이 유리창에 미끄러지며 내려오는 모습이 떠오르는 것에 ○표 하세요.

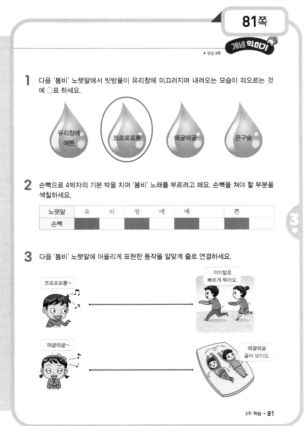

우리창에 예쁜 / 쪼로로롱 / 때굴때굴 / 온구슬

2 손뼉으로 4박자의 기본 박을 치며 '봄비' 노래를 부르려고 해요. 손뼉을 쳐야 할 부분을 색칠하세요.

노랫말	유	리	창	에	예	쁜
손뼉						

3 다음 '봄비' 노랫말에 어울리게 표현한 동작을 알맞게 줄로 연결하세요.

쪼로로롱~ — 까치발로 빠르게 뛰어요
때굴때굴~ — 때굴때굴 굴러 보아요

3주 학습 · 81

정답

3주 3일

83쪽

개념 익히기

+ 정답 10쪽

1 감기에 걸린 서우가 병원에 도착할 수 있도록 바른 길을 찾아 선을 그리세요.

출발
먼지바람이 심한 날에는 창문을 열어 놓아요.
외출 후 집으로 돌아오면 몸을 깨끗이 씻어요.
물을 충분히 마시고 운동을 꾸준히 해요.
좋아하는 음식만 골라서 먹어요.
봄에는 무조건 얇은 옷을 입어요.
꽃가루가 날릴 때 눈을 함부로 비비지 않아요.
병원

2 다음 연우의 모습을 보고, 봄철 먼지바람이 부는 날 연우가 건강을 지키기 위해 한 것을 글자 카드에서 찾아 색칠하세요.

모	색	사	개	삽	스
뿌	양	**마**	리	호	지
기	미	종	안	**크**	산

3주 학습 • 83

85쪽

개념 익히기

+ 정답 10쪽

1 다음의 8자 놀이 방법을 순서에 알맞게 ○ 안에 번호를 쓰세요.

② 술래는 8자 모양의 길 앞에 서요.

① 운동장에 8자 모양의 놀이판을 만들어요.

④ 술래가 친구들을 잡으러 출발해요.

③ 친구들이 8자 모양 안에 들어와 서요.

2 다음 놀이에서 강을 건널 수 없는 사람을 찾아 ○표 하세요.

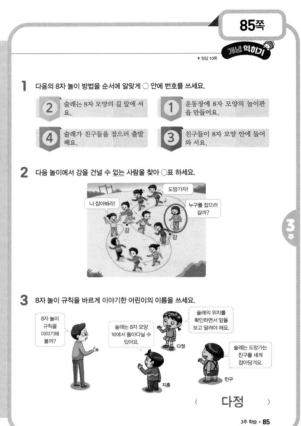

나 잡아봐라!
도망가자!
누구를 잡으러 갈까?
강 강

3 8자 놀이 규칙을 바르게 이야기한 어린이의 이름을 쓰세요.

8자 놀이 규칙을 이야기해 볼까?
술래는 8자 모양 밖에서 돌아다닐 수 있어요. (지훈)
술래의 위치를 확인하면서 앞을 보고 달려야 해요. (다정)
술래는 도망가는 친구를 세게 잡아당겨요. (민구)

(**다정**)

3주 학습 • 85

3주 4일

87쪽

개념 익히기

+ 정답 10쪽

1 다음 사다리를 타고 내려가 봄을 느낄 수 있는 장식품을 찾아 번호에 ○표 하세요.

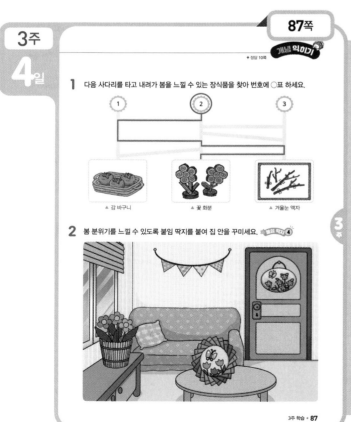

① ② ③
▲ 감 바구니   ▲ 꽃 화분   ▲ 겨울눈 액자

2 봄 분위기를 느낄 수 있도록 붙임 딱지를 붙여 집 안을 꾸미세요. 붙임딱지 ④

3주 학습 • 87

89쪽

개념 익히기

+ 정답 10쪽

1 다음 봄의 모습과 관련된 색을 알맞게 줄로 연결하세요.

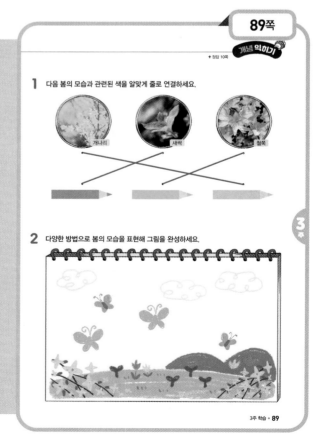

개나리   새싹   철쭉

2 다양한 방법으로 봄의 모습을 표현해 그림을 완성하세요.

3주 학습 • 89

10 • 2-1

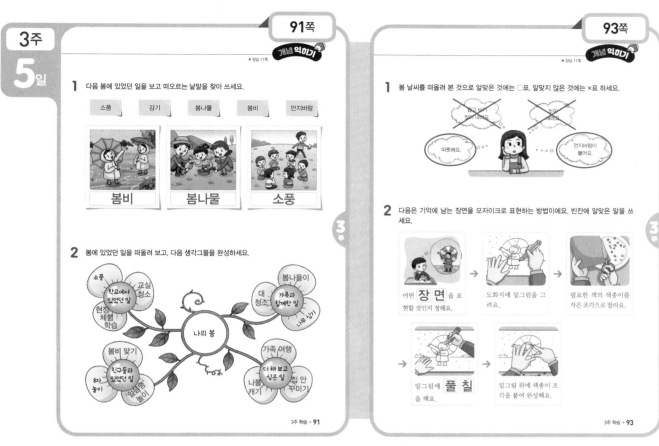

3주 학습 • 91

3주 학습 • 93

3주 누구나 100점 TEST

94~95쪽

3주

창의
융합
코딩

🔍 꽃샘추위에 대해 알아봐요!

우리나라의 초봄인 3, 4월 경에 꽃샘추위가 찾아오는데요.
봄이 오면 계속 따뜻해지다가 꽃이 피는 것을 샘내는 듯 일시적으로 갑자기
찾아오는 추위를 꽃샘추위라고 해요. 꽃샘추위가 오면 갑자기 쌀쌀해진 날
씨 때문에 감기와 같은 질병에 걸리기 쉬워 옷을 따뜻하게 입어야 해요.

퀴즈
팡!

봄에 개나리나 진달래 등의 꽃이 피기 시작할 때 찾아오는 뜻밖에 추위는?

답 꽃샘추위

1 건우는 친구들과 함께 생태 공원으로 체험 학습을 갔어요. 건우가 생태 공원 입구에서 버스를 타는 곳까지 길을 찾아가며 본 개구리는 모두 몇 마리인지 빈칸에 숫자로 쓰세요.

건우가 생태 공원에서 본 개구리는 모두 **8** 마리예요.

2 단아네 가족은 봄나들이를 가려고 해요. 나들이에 필요한 도구들을 챙겨 갈 수 있도록 코딩 카드에 알맞은 숫자를 쓰세요.

| ❶ ➡ 오른쪽으로 **2** 칸 간다. | ❷ ⬇ 아래쪽으로 **2** 칸 간다. | ❸ ⬅ 왼쪽으로 **2** 칸 간다. | ❹ ⬇ 아래쪽으로 **1** 칸 간다. | ❺ ➡ 오른쪽으로 **3** 칸 간다. |

3 봄을 건강하게 보내기 위해 해야 할 일을 떠올려 보며 두 그림에서 다른 부분을 다섯 군데 찾아 ○표 하세요.

4 다음 각 물감에 연결된 선을 따라 도착한 곳에 물감의 색깔과 관련된 봄의 모습을 찾아 붙임 딱지를 붙이세요.

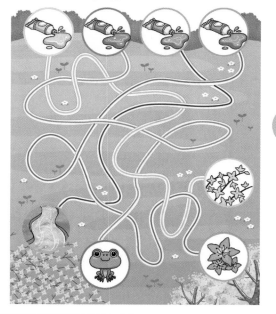

마무리
학습

신경향
신유형
서술형

* 정답 13쪽

마무리 학습
신경향·신유형·서술형 ①

1 예지는 퀴즈 대회에 나갔어요. 문제를 맞히면 5점을 얻고, 문제를 틀리면 3점을 잃는 다고 하였을 때 4단계를 모두 끝낸 후 예지의 점수를 계산하여 빈칸에 쓰세요.

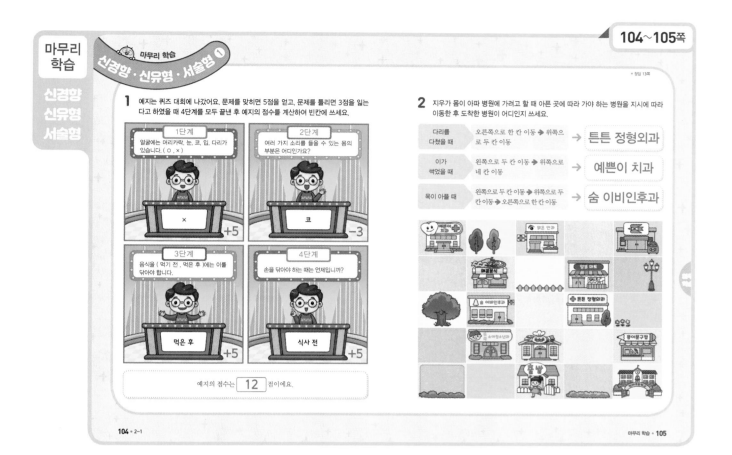

1단계	2단계
얼굴에는 머리카락, 눈, 코, 입, 다리가 있습니다. (O , ×)	여러 가지 소리를 들을 수 있는 몸의 부분은 어디인가요?
× +5	코 −3

3단계	4단계
음식을 (먹기 전 , 먹은 후)에는 이를 닦아야 합니다.	손을 닦아야 하는 때는 언제입니까?
먹은 후 +5	식사 전 +5

예지의 점수는 [12] 점이에요.

2 지우가 몸이 아파 병원에 가려고 할 때 아픈 곳에 따라 가야 하는 병원을 지시에 따라 이동한 후 도착한 병원이 어디인지 쓰세요.

다리를 다쳤을 때	오른쪽으로 한 칸 이동 ➡ 위쪽으로 두 칸 이동	➡ 튼튼 정형외과
이가 썩었을 때	왼쪽으로 두 칸 이동 ➡ 위쪽으로 네 칸 이동	➡ 예쁜이 치과
목이 아플 때	왼쪽으로 두 칸 이동 ➡ 위쪽으로 두 칸 이동 ➡ 오른쪽으로 한 칸 이동	➡ 숨 이비인후과

마무리
학습

신경향
신유형
서술형

마무리 학습
신경향·신유형·서술형 ①

3 은우가 외출을 하기 위해 옷을 갈아입으려고 해요. 은우가 날씨에 알맞은 옷을 입어 봄철 건강을 지킬 수 있도록 선을 그리세요.

4 봄철 효주네 마을 사람들의 생활 모습을 보고, 마을 사람들이 봄을 건강하게 보내기 위해 고쳐야 할 점을 빈칸에 쓰세요.

창문을 닫아 꽃가루가 들어오는 것을 막아요.

눈 주위가 간지럽다고 손으로 함부로 비비지 않아요.

먼지바람이 부는 날에는 [마스크를 써요.]

감기에 걸렸구나?

에취!

갑자기 추워질 수도 있으므로 외출할 때에는 [겉옷을 준비해요.]

정답

마무리 학습 1회
기초 종합 정리 문제

기초 종합
정리 문제
1회

+ 정답 14쪽

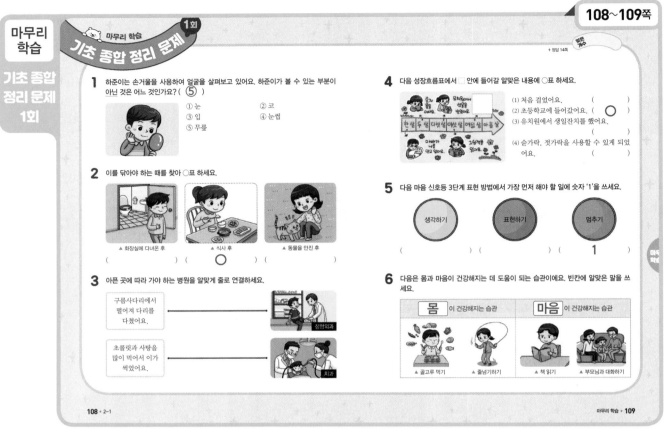

1 하준이는 손거울을 사용하여 얼굴을 살펴보고 있어요. 하준이가 볼 수 있는 부분이 아닌 것은 어느 것인가요? (⑤)

① 눈 ② 코
③ 입 ④ 눈썹
⑤ 무릎

2 이를 닦아야 하는 때를 찾아 ○표 하세요.

▲ 화장실에 다녀온 후 ( ) ▲ 식사 후 (○) ▲ 동물을 만진 후 ( )

3 아픈 곳에 따라 가야 하는 병원을 알맞게 줄로 연결하세요.

구름사다리에서 떨어져 다리를 다쳤어요. —— 정형외과

초콜릿과 사탕을 많이 먹어서 이가 썩었어요. —— 치과

4 다음 성장흐름표에서 □ 안에 들어갈 알맞은 내용에 ○표 하세요.

(1) 처음 걸었어요. ( )
(2) 초등학교에 들어갔어요. (○)
(3) 유치원에서 생일잔치를 했어요. ( )
(4) 숟가락, 젓가락을 사용할 수 있게 되었어요. ( )

5 다음 마음 신호등 3단계 표현 방법에서 가장 먼저 해야 할 일에 숫자 '1'을 쓰세요.

생각하기 ( ) 표현하기 ( ) 멈추기 (1)

6 다음은 몸과 마음이 건강해지는 데 도움이 되는 습관이에요. 빈칸에 알맞은 말을 쓰세요.

몸 이 건강해지는 습관	**마음** 이 건강해지는 습관
▲ 골고루 먹기　▲ 줄넘기하기	▲ 책 읽기　▲ 부모님과 대화하기

108 · 2-1

마무리 학습 · 109

마무리 학습 1회
기초 종합 정리 문제

기초 종합
정리 문제
1회

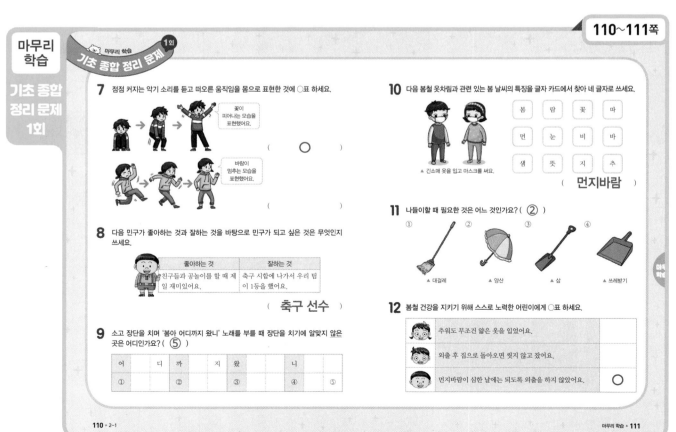

7 점점 커지는 악기 소리를 듣고 떠오른 움직임을 몸으로 표현한 것에 ○표 하세요.

꽃이 피어나는 모습을 표현했어요. (○)

바람이 멈추는 모습을 표현했어요. ( )

8 다음 민구가 좋아하는 것과 잘하는 것을 바탕으로 민구가 되고 싶은 것은 무엇인지 쓰세요.

좋아하는 것	잘하는 것
친구들과 공놀이를 할 때 제일 재미있어요.	축구 시합에 나가서 우리 팀이 1등을 했어요.

(축구 선수)

9 소고 장단을 치며 '봄아 어디까지 왔니' 노래를 부를 때 장단을 치기에 알맞지 않은 곳은 어디인가요? (⑤)

어	디	까	지	왔	니
①		②		③	④ ⑤

10 다음 봄철 옷차림과 관련 있는 봄 날씨의 특징을 글자 카드에서 찾아 네 글자로 쓰세요.

▲ 긴소매 옷을 입고 마스크를 써요.

봄	람	꽃	따
먼	눈	비	바
샘	뜻	지	추

(먼지바람)

11 나들이할 때 필요한 것은 어느 것인가요? (②)

① ▲ 대걸레 ② ▲ 양산 ③ ▲ 삽 ④ ▲ 쓰레받기

12 봄철 건강을 지키기 위해 스스로 노력한 어린이에게 ○표 하세요.

추위도 무조건 얇은 옷을 입었어요.	
외출 후 집으로 돌아오면 씻지 않고 잤어요.	
먼지바람이 심한 날에는 되도록 외출을 하지 않았어요.	○

110 · 2-1

마무리 학습 · 111

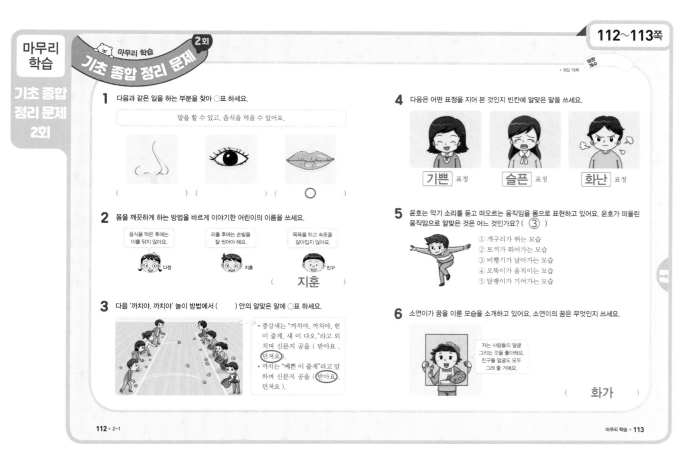

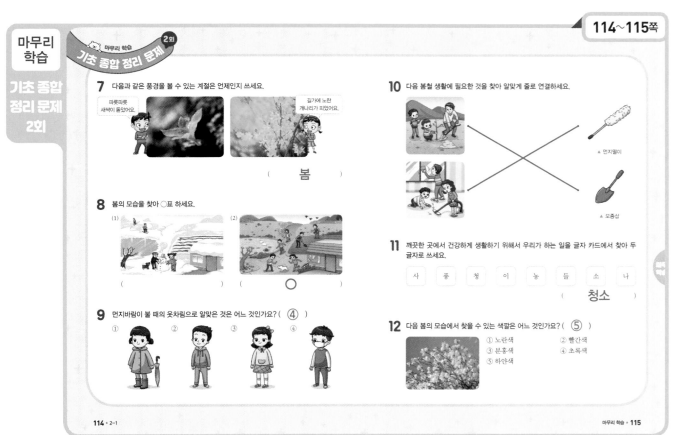

정답

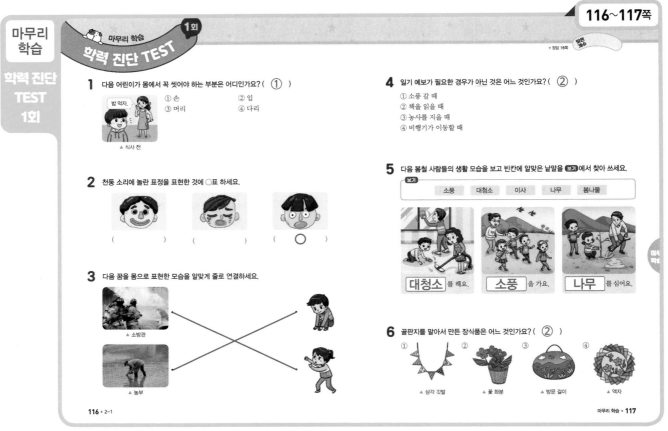

마무리 학습
학력 진단 TEST 1회

+ 정답 16쪽

1 다음 어린이가 몸에서 꼭 씻어야 하는 부분은 어디인가요? (①)

밥 먹자.

① 손　　　　② 입
③ 머리　　　④ 다리

▲ 식사 전

2 천둥 소리에 놀란 표정을 표현한 것에 ○표 하세요.

(　　)　　　(　　)　　　(○)

3 다음 꿈을 몸으로 표현한 모습을 알맞게 줄로 연결하세요.

▲ 소방관

▲ 농부

4 일기 예보가 필요한 경우가 아닌 것은 어느 것인가요? (②)

① 소풍 갈 때
② 책을 읽을 때
③ 농사를 지을 때
④ 비행기가 이동할 때

5 다음 봄철 사람들의 생활 모습을 보고 빈칸에 알맞은 낱말을 보기 에서 찾아 쓰세요.

보기　　소풍　　대청소　　이사　　나무　　봄나물

대청소 를 해요.　　**소풍** 을 가요.　　**나무** 를 심어요.

6 골판지를 말아서 만든 장식품은 어느 것인가요? (②)

① 　　② 　　③ 　　④

▲ 삼각 깃발　　▲ 꽃 화분　　▲ 방문 걸이　　▲ 액자

116 • 2-1

마무리 학습 • 117

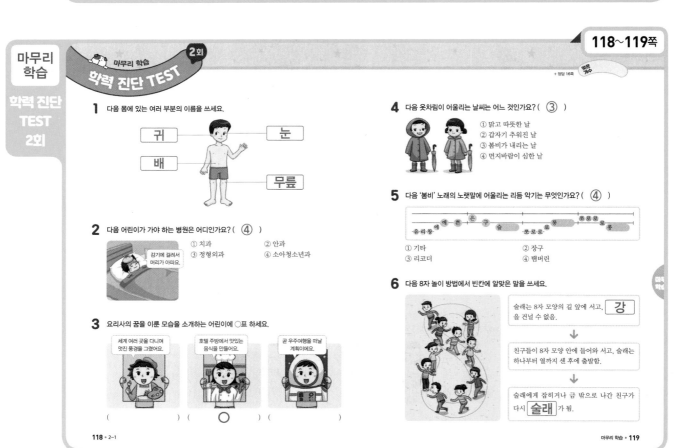

마무리 학습
학력 진단 TEST 2회

+ 정답 16쪽

1 다음 몸에 있는 여러 부분의 이름을 쓰세요.

귀　　　　눈

배

무릎

2 다음 어린이가 가야 하는 병원은 어디인가요? (④)

감기에 걸려서
머리가 아파요.

① 치과　　　　② 안과
③ 정형외과　　④ 소아청소년과

3 요리사의 꿈을 이룬 모습을 소개하는 어린이에 ○표 하세요.

세계 여러 곳을 다니며
멋진 풍경을 그렸어요.

호텔 주방에서 맛있는
음식을 만들어요.

곧 우주여행을 떠날
계획이에요.

(　　)　　　(○)　　　(　　)

4 다음 옷차림이 어울리는 날씨는 어느 것인가요? (③)

① 맑고 따뜻한 날
② 갑자기 추워진 날
③ 봄비가 내리는 날
④ 먼지바람이 심한 날

5 다음 '봄비' 노래의 노랫말에 어울리는 리듬 악기는 무엇인가요? (④)

유리창에　톡　톡　톡　쪼로롱롱　쪼로롱롱　롱

① 기타　　　　② 장구
③ 리코더　　　④ 탬버린

6 다음 8자 놀이 방법에서 빈칸에 알맞은 말을 쓰세요.

술래는 8자 모양의 길 앞에 서고, **강** 을 건널 수 없음.

↓

친구들이 8자 모양 안에 들어와 서고, 술래는 하나부터 열까지 센 후에 출발함.

↓

술래에게 잡히거나 금 밖으로 나간 친구가 다시 **술래** 가 됨.

118 • 2-1

마무리 학습 • 119

✧ **활동
꾸러미**

바른 생활
슬기로운 생활
즐거운 생활
✧ **2-1**

차례

카드 위쪽의 구멍을 뚫고 묶어서 사용하세요.

동작

테두리

표정

음식

테두리

가장자리를 따라가며 두르거나 치는 줄이나 금 또는 장식을 말해요.
예 연못의 둥근 **테두리**를 따라 나무를 심었어요.

동작

動	作
움직일 **동**	지을 **작**

몸이나 손발을 움직이는 것 또는 움직이는 모양이에요.
예 체육 시간에 선생님의 **동작**을 따라서 맨손체조를 하였어요.

음식

飮	食
마실 **음**	밥 **식**

밥·국·반찬과 같이 사람이 먹을 수 있도록 만든 것이에요.
예 **음식**을 남기거나 함부로 버리지 않아야 해요.

표정

表	情
겉 **표**	뜻 **정**

어떤 일에 대하여 일어나는 마음이나 느껴지는 기분이 겉으로 드러나는 것이에요.
예 학교에 가서 선생님께 밝은 **표정**으로 인사를 했어요.

◌ 카드 위쪽의 구멍을 뚫고 묶어서 사용하세요.

건강

병원

비행기

신호등

병원

病	院
질병 **병**	집 **원**

아픈 사람을 진찰하고 치료하는 곳이에요.
예 동생이 감기에 걸려서 엄마와 함께 **병원**에 갔어요.

건강

健	康
튼튼할 **건**	편안할 **강**

몸과 마음이 모두 걱정할 만한 일 없이 튼튼한 것이에요.
예 매일 운동을 열심히 하면 몸이 **건강**해져요.

신호등

信	號	燈
믿을 **신**	신호 **호**	등잔 **등**

도로에 설치하여, 빨간색 · 초록색 · 노란색 및 화살 표시 등으로 자동차나 사람이 멈추거나 가도록 알려주는 장치예요.
예 **신호등**이 초록불일 때 길을 건너요.

비행기

飛	行	機
날 **비**	다닐 **행**	틀 **기**

사람이나 물건을 싣고 공중으로 떠서 날아다니는 탈것을 뜻하는 말이에요.
예 제주도로 여행을 가기 위해 사람들이 줄을 서서 차례로 **비행기**에 탔어요.

주방

요리사

화단

전시물

요리사

料	理	師
셀 **요**	다스릴 **리**	스승 **사**

여러 조리 과정을 거쳐 음식을 만드는 일을 전문으로 하는 사람이에요.
예 **요리사**가 고기와 채소로 음식을 만들고 있어요.

주방

廚	房
부엌 **주**	방 **방**

음식을 만들거나 차리는 방이에요.
예 우리집에서는 온 가족이 **주방**에 모여 식사 준비를 함께 하고 있어요.

전시물

展	示	物
펼 **전**	보일 **시**	만물 **물**

볼 수 있게 한곳에 펼쳐 놓은 여러 가지 물건이에요.
예 박물관에서 **전시물**을 함부로 만지지 않아야 해요.

화단

花	壇
꽃 **화**	단 **단**

꽃을 심기 위하여 흙을 한층 높게 하여 꾸며 놓은 꽃밭이에요.
예 학교 **화단**에는 여러 가지 꽃들이 피어 있어요.

○ 카드 위쪽의 구멍을 뚫고 묶어서 사용하세요.

새싹

공연

먼지바람

농사

공연

公	演
드러낼 **공**	펼 **연**

음악, 무용, 연극 등을 많은 사람 앞에서 보이는 일이에요.

예 가수의 **공연**이 시작되자 사람들이 함께 노래를 따라 불렀어요.

새싹

새로 돋아나는 어린잎이나 줄기를 뜻하는 말이에요.

예 봄이 되면 화단에 파릇파릇 **새싹**이 돋아나요.

농사

農	事
농사 **농**	일 **사**

곡류, 채소나 과일 등의 씨나 새싹을 심어 가꾸고 거두는 등의 일을 이르는 말이에요.

예 시골에서 삼촌이 **농사**를 짓고 계셔요.

먼지바람

작은 먼지나 모래와 같은 것이 떠올라 공기가 흐려지고 주위가 뿌옇게 되는 강한 바람을 이르는 말이에요.

예 **먼지바람**이 부는 날에는 되도록 외출을 하지 않고, 외출할 때에는 마스크를 꼭 써야 해요.

○ 카드 위쪽의 구멍을 뚫고 묶어서 사용하세요.

볏짚

대청소

사물함

리듬 악기

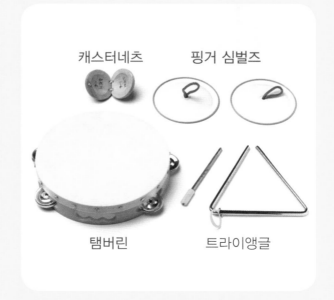

캐스터네츠   핑거 심벌즈

탬버린   트라이앵글

대청소

大	清	掃
클 **대**	맑을 **청**	쓸 **소**

평소에 손이 미치지 못한 구석구석까지 더럽거나 어지러운 것을 쓸고 닦아서 깨끗하게 하는 것을 말해요.
예 봄이 되면 겨울에 사용했던 물건을 정리하고 **대청소**를 해요.

벗짚

벼의 알갱이를 떨어낸 줄기를 이르는 말이에요.
예 봄이 되면 겨울 동안 나무를 감쌌던 **벗짚**을 떼어 내요.

리듬 악기

음의 길고 짧음이나 강약 등이 반복될 때의 음의 흐름에 대한 감각이나 능력을 기르기 위하여 쓰는 악기를 말해요.
예 노랫말에 맞추어 **리듬 악기**를 치며 노래를 불러요.

사물함

私	物	函
사사 **사**	물건 **물**	상자 **함**

학교 등에서 각자의 물건을 넣어 둘 수 있게 만든 곳이에요.
예 교실 뒤에 있는 지저분한 **사물함**을 깔끔히 정리해요.

카드 위쪽의 구멍을 뚫고 묶어서 사용하세요.

꽃가루

장식품

생각그물

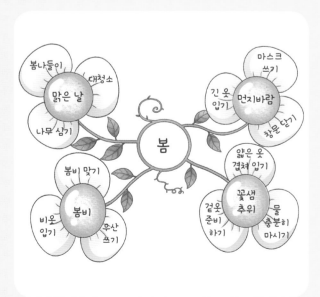

모자이크

장식품

裝	飾	品
꾸밀 **장**	꾸밀 **식**	물건 **품**

옷이나 그릇, 가구 등에 다양한 재료로 여러 가지 모양을 만들어 꾸미는 데 쓰이는 물건을 이르는 말이에요.

예 봄을 맞이하여 **장식품**을 만들어 집 안를 꾸며요.

꽃가루

꽃을 이루는 부분 중 수술의 꽃밥에서 만들어진 가루를 이르는 말이에요.

예 봄에 **꽃가루**가 날릴 때에는 창문을 닫아요.

모자이크

여러 가지 색의 종이, 돌, 유리 등을 조각조각 붙여서 그림을 꾸미는 것을 말해요.

예 도화지에 밑그림을 그리고 밑그림 위에 색종이 조각을 붙여 **모자이크**로 표현해요.

생각그물

마음속에 생각하고 있는 것을 관련이 있는 것끼리 연결하여 정리하는 것을 말해요.

예 봄 날씨와 관련된 경험을 떠올려 보고 **생각그물**로 나타내요.

○ 카드 위쪽의 구멍을 뚫고 묶어서 사용하세요.

1 몸에 있는 여러 부분

귀: 소리를 들음.

눈: 앞을 볼 수 있음.

입: 말을 하고, 음식을 먹을 수 있음.

❶ [ ] : 냄새를 맡고, 숨을 쉴 수 있음.

손: 글씨를 쓰고, 젓가락질을 할 수 있음.

❷ [ ][ ] : 걸어서 이동할 수 있음.

정답 ❶ 코 ❷ 다리

2 몸을 깨끗이 하는 방법

▲ ❶ [ ][ ]을 자주 하기

▲ 머리를 자주 감기

▲ 외출 후 손 씻기

▲ 식사 후 이 잘 닦기

세균으로부터 몸을 보호하기 위해 몸을 ❷ [ ][ ][ ] 합니다.

정답 ❶ 목욕 ❷ 깨끗이

3 몸이 아플 때 해야 할 일

아플 때는 부모님이나 선생님께 빨리 알림.

치과

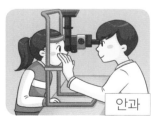

안과

▲ ❶ [ ]와 입 안의 병 치료

▲ ❷ [ ]의 병 치료

아픈 곳에 따라 가야 하는 병원이 다름.

정답 ❶ 이 ❷ 눈

4 내가 자라 온 과정

혼자 물을 마셔요. / 유치원에서 선물을 받았어요. / 학교에 들어 갔어요.

한 살 | 두 살 | 다섯 살 | 여섯 살 | 여덟 살 | 아홉 살

아빠가 나를 안고 있어요. / 그림책을 읽어요.

· 손과 발이 커지고 키도 커졌습니다.

· 글을 더 ❶ [ ][ ][ ] 읽을 수 있습니다.

· 성장흐름표를 보면 내 ❷ [ ]과 마음이 같이 자라고 있다는 것을 알 수 있습니다.

정답 ❶ 깨끗하게 ❷ 몸

2 몸을 깨끗이 하는 방법

✚ 다음은 친구들이 몸을 깨끗하게 하기 위해 해야 할 일을 설명한 것이에요. 빈칸에 알맞은 말을 쓰세요.

음식을 먹은 후에는 ❶ [　　] 를 닦아야 해요.

외출 후 집에 와서 ❷ [　　] 을 씻어야 해요.

1 몸에 있는 여러 부분

✚ 다음과 같이 몸에 있는 여러 부분을 살펴보고 하는 일을 알아보았어요. 빈칸에 알맞은 말을 쓰세요.

머리카락, 눈, 코, 입, 귀, 눈썹은 ❶ [　　　] 에 있어요.

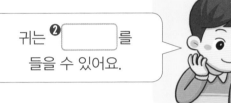

귀는 ❷ [　　] 를 들을 수 있어요.

4 내가 자라 온 과정

✚ 다음 자라면서 달라진 모습에 대한 친구들의 대화를 보고, 빈칸에 알맞은 말을 쓰세요.

자라면서 달라진 모습을 이야기해 보자.

손과 발, 키가 ❶ [　　　] 졌어.

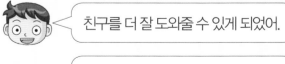

친구를 더 잘 도와줄 수 있게 되었어.

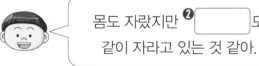

몸도 자랐지만 ❷ [　　] 도 같이 자라고 있는 것 같아.

3 몸이 아플 때 해야 할 일

✚ 현이는 집에서 이가 아팠어요. 빈칸에 알맞은 말을 쓰세요.

집에서 아플 때는 ❶ [　　] 께 알려야 해요.

이가 아플 때는 이와 입 안의 병을 치료해 주는 병원인 ❷ [　　] 로 가야 해요.

⭕ 카드 위쪽의 구멍을 뚫고 묶어서 사용하세요.

5 여러 가지 표정

기쁜 표정

화난 표정

❶ ☐☐ 표정

놀란 표정

• 말을 하지 않아도 얼굴 ❷ ☐☐ 으로 마음을 전달할 수 있습니다.
• 이야기할 때 친구의 표정도 함께 봅니다.

정답 ❶ 슬픈 ❷ 표정

6 마음 신호등

멈추기 — 말하기 전에 3초만 기다려요.

⬇

생각하기 — 친구의 마음과 나의 마음을 모두 ❶ ☐☐ 해요.

⬇

표현하기 — ❷ ☐ 를 내지 않고 차분히 말해요.

마음 신호등은 내 마음을 표현하기 전에 지켜야 할 마음의 약속을 의미합니다.

정답 ❶ 생각 ❷ 화

7 건강을 위한 습관

몸을 건강하게 하는 방법
▲ 줄넘기(운동)하기   ▲ 골고루 ❶ ☐☐

마음을 건강하게 하는 방법
▲ 친구와 사이좋게 지내기   ▲ ❷ ☐ 읽기

정답 ❶ 먹기 ❷ 책

8 몸으로 표현하기

▲ 꽃이 피어나는 모습(움직임이 점점 커짐.)

▲ ❶ ☐☐ 가 뛰는 모습   ▲ ❷ ☐☐☐ 가 나는 모습   ▲ 개구리가 뛰는 모습

정답 ❶ 토끼 ❷ 비행기

6 마음 신호등

✦ 다음은 혜진이가 다른 곳을 보며 달려오던 경호와 부딪혀서 넘어진 상황이에요. 빈칸에 알맞은 마음 신호등 단계를 쓰세요.

넘어져서 아팠어.
너는 괜찮니?
다음부터 조심하자.

표현하기

5 여러 가지 표정

✦ 다음과 같이 여러 가지 표정을 만들었어요. 빈칸에 알맞은 말을 쓰세요.

천둥소리에 ❶ [　　　] 표정을 표현했어요.

장난감이 망가져서 ❷ [　　　] 표정을 표현했어요.

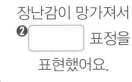 

8 몸으로 표현하기

✦ 다음은 악기 소리를 듣고 몸으로 표현한 모습이에요. 빈칸에 알맞은 말을 쓰세요.

❶ [　　　] 이 피어나는 모습이 떠올라요.

❷ [　　　] 가 뛰어가는 모습을 표현했어요.

7 건강을 위한 습관

✦ 다음은 몸과 마음을 건강하게 하는 습관을 나타낸 것이에요. 빈칸에 알맞은 말을 쓰세요.

음식을 골고루 먹으면 ❶ [　　　] 이 건강해져요.

책을 많이 읽으면 ❷ [　　　] 이 건강해져요.

⊂ 카드 위쪽의 구멍을 뚫고 묶어서 사용하세요.

9 나를 소개하기

내가 좋아하는 것 / 내가 잘하는 것

글쓰기를 좋아함.

글짓기 대회에서 상을 받음.

- 내가 좋아하는 것을 흥미라고 하고, 잘하는 것을 ❶ ☐☐ 이라고 합니다.
- 내가 좋아하는 것이나 잘하는 것을 찾아서 나의 ❷ ☐ 으로 키울 수 있습니다.

정답 ❶ 재능 ❷ 꿈

10 꿈을 이룬 나의 모습

▲ 요리사   ▲ 우주 비행사

미래의 나의 모습을 상상해 보기

❶ ☐ 을 이룬 나의 모습을 그려보기

완성된 그림을 얼굴에 쓰고 자기 ❷ ☐☐ 하기

정답 ❶ 꿈 ❷ 소개

11 꿈을 몸으로 표현하기

▲ 호스를 잡고 불을 끄는 소방관

▲ 벼를 심는 ❶ ☐☐

▲ 칠판에 글씨를 쓰는 ❷ ☐☐☐

▲ 채소를 볶고 있는 요리사

정답 ❶ 농부 ❷ 선생님

12 봄의 모습 살펴보기

- 봄꽃이 핀 화단, ❶ ☐☐ 이 돋은 동산 등에서 봄을 느낄 수 있습니다.
- 봄의 모습과 느낌을 ❷ ☐☐ 으로 표현합니다.

정답 ❶ 새싹 ❷ 몸짓

🔟 꿈을 이룬 나의 모습

➕ 친구들이 다음과 같이 꿈을 이룬 모습을 소개하고 있어요. 빈칸에 알맞은 말을 쓰세요.

저는 ❶ [   ] 입니다. 우주선을 타고 우주여행을 떠날 계획입니다.

저는 ❷ [   ] 입니다. 호텔에서 요리를 하고 있습니다.

정답 ❶ 우주 비행사 ❷ 요리사

9️⃣ 나를 소개하기

➕ 다음 대화를 보고, 빈칸에 알맞은 말을 쓰세요.

나는 글쓰기를 좋아해.

너는 글쓰기에 ❶ [   ] 가 있구나. 나는 축구를 좋아하는 데.

나는 축구를 좋아하기도 하지만 잘하기도 해. 오늘도 골을 넣었어.

너는 축구에 ❷ [   ] 이 있구나.

정답 ❶ 흥미 ❷ 재능

1️⃣2️⃣ 봄의 모습 살펴보기

➕ 다음은 봄을 느끼고 몸짓으로 표현하는 모습이에요. 빈칸에 알맞은 말을 쓰세요.

봄이 오니 ❶ [   ] 가 날아다녀요.

봄이 되어 ❷ [   ] 이 돋아나요.

정답 ❶ 나비 ❷ 새싹

1️⃣1️⃣ 꿈을 몸으로 표현하기

➕ 다음 친구들의 꿈 표현 동작을 보고 빈칸에 알맞은 말을 쓰세요.

칠판에 ❶ [   ] 를 쓰는 선생님을 표현했어요.

호스를 잡고 불을 끄는 ❷ [   ] 을 표현했어요.

정답 ❶ 글씨 ❷ 소방관

◯ 카드 위쪽의 구멍을 뚫고 묶어서 사용하세요.

13 봄이 되어 달라진 모습

· 봄에는 얼음이 녹습니다.
· ❶[ ]이 피고 색싹이 돋아납니다.
· 씨를 뿌리고 ❷[ ][ ]지을 준비를 합니다.

정답 ❶ 꽃 ❷ 농사

14 봄 날씨의 특징

따뜻한 날이 많아요.

봄비가 내려요.

갑자기 ❶[ ][ ]지기도 해요.

❷[ ][ ]바람이 부는 날도 있어요.

정답 ❶ 흐려 ❷ 먼지

15 날씨에 어울리는 옷차림

▲ 따뜻한 날

▲ 일교차가 큰 날

▲ 먼지바람이 심한 날

▲ 비가 오는 날

날씨에 어울리는 옷차림을 해야 ❶[ ][ ]을 지킬 수 있고, 우리 ❷[ ]을 보호할 수 있습니다.

정답 ❶ 건강 ❷ 몸

16 일기 예보

· 일기 예보는 ❶[ ][ ]의 변화를 짐작하여 미리 알려주는 것입니다.
· 소풍, 운동회, 농사를 지을 때 ❷[ ][ ][ ][ ]가 필요합니다.

정답 ❶ 날씨 ❷ 일기 예보

14 봄 날씨의 특징

✦ 다음 그림은 봄 날씨의 특징을 나타낸 것이에요. 빈칸에 알맞은 말을 쓰세요.

봄에는 ❶[　　　　]한 날이 많아요.

봄에는 ❷[　　　　]가 자주 내려요. 비가 오고 나면 새잎이 돋고 꽃이 피어요.

정답 ❶ 따뜻 ❷ 봄비

13 봄이 되어 달라진 모습

✦ 다음은 봄에 사람들의 모습을 나타낸 것이에요. 빈칸에 알맞은 말을 쓰세요.

봄이 되면 ❶[　　　　]이 녹아요. 또 꽃이 피고 ❷[　　　　]이 돋아나요.

정답 ❶ 얼음 ❷ 새싹

16 일기 예보

✦ 다음 그림을 보고 빈칸에 알맞은 말을 쓰세요.

현수가 놀이터에서 노는데 갑자기 비가 왔어요. 하지만 뉴스 ❶[　　　　]에서 날씨를 확인하고 미리 우산을 준비한 진희가 우산을 씌워 주어 비를 맞지 않았어요. 일기 예보는 날씨의 ❷[　　　　]를 짐작하여 미리 알려 주는 것이에요.

정답 ❶ 일기예보 ❷ 변화

15 날씨에 어울리는 옷차림

✦ 다음은 날씨에 어울리는 옷차림에 대한 설명이에요. 빈칸에 알맞은 말을 쓰세요.

비 올 때는 우산을 쓰거나 ❶[　　　　]을 입어요.

먼지바람이 불 때는 ❷[　　　　]를 쓰고, 긴소매 옷을 입어요.

정답 ❶ 비옷 ❷ 마스크

◌ 카드 위쪽의 구멍을 뚫고 묶어서 사용하세요.

17 봄철 생활 모습

나무를 감쌌던 볏짚 떼어 냄.

봄나들이를 감.

❶ ⬜⬜ 에서는 농사 준비를 함.

봄맞이 ❷ ⬜⬜ ⬜를 함.

정답 ❶ 들녘 ❷ 대청소

18 봄철 생활에서 필요한 것

나무나 꽃을 심을 때	❶ ⬜ 물뿌리개 모종삽
할 때	❷ ⬜⬜ 손걸레 먼지떨이 청소기
나들이할 때	사진기 색안경 모자 도시락 통

정답 ❶ 삽 ❷ 청소

19 봄맞이 청소하기

• 청소가 필요한 까닭: 깨끗한 곳에서 건강하게 생활하기 위해서입니다.
• 청소 방법

❶ ⬜⬜ 열기 → 먼지 떨기 → 빗자루로 바닥 쓸기 → 바닥 닦기 → 책상 위치 정리하기 → 책상 닦기 → 청소 ❷ ⬜⬜ 정리하기 → 창문 닫기

정답 ❶ 창문 ❷ 도구

20 봄을 건강하게 보내기

• 먼지바람이 불거나 꽃가루가 날리는 날 외출할 때에는 ❶ ⬜⬜⬜ 를 씁니다.
• 날씨에 알맞은 옷을 입고, 음식을 ❷ ⬜⬜⬜ 먹으며, 운동을 꾸준히 합니다.

정답 ❶ 마스크 ❷ 골고루

18 봄철 생활에서 필요한 것

✦ 연아와 민호는 봄철 생활에 필요한 도구를 무리 짓고 있어요. 빈칸에 알맞은 말을 쓰세요.

청소할 때에는 손걸레, 청소기, 쓰레받기, ❶ [   ] 떨이 등이 필요해.

모자, 색안경, 도시락 통, 사진기 등은 ❷ [   ] 할 때 필요한 도구야.

17 봄철 생활 모습

✦ 다음 봄철 생활 모습을 보고, 봄철에 하는 일을 글자 카드에서 찾아 빈칸에 쓰세요.

❶ [   ] 떼어 내기   봄 ❷ [   ] 가기

대	모	벗	화	징	이
나	소	청	오	들	짚

20 봄을 건강하게 보내기

✦ 봄을 건강하게 보내려면 어떻게 해야 하는지 빈칸에 알맞은 말을 쓰세요.

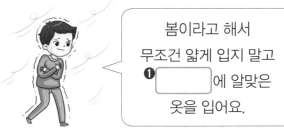

봄이라고 해서 무조건 얇게 입지 말고 ❶ [   ] 에 알맞은 옷을 입어요.

❷ [   ] 을 꾸준히 하여 몸을 튼튼하게 해요.

19 봄맞이 청소하기

✦ 다음 일기를 보고, 빈칸에 알맞은 말을 쓰세요.

20○○년 ○월 ○○일   날씨: ☀ ⛅ ☁ ☂ 🌧

선생님, 청소하기 싫어요.

오늘 청소 시간에 선생님께 청소가 하기 싫다고 말씀드렸더니 깨끗한 곳에서 ❶ [   ] 하게 생활하기 위해서는 ❷ [   ] 를 해야 한다고 말씀해 주셨다. 앞으로는 내 방 청소도 스스로 하도록 노력해야겠다.

봄 단원 정리 붙임 딱지

◌ 카드 위쪽의 구멍을 뚫고 묶어서 사용하세요.

21 8자 놀이

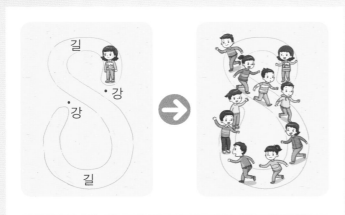

술래는 8자 모양의 ❶[　][　] 앞에 서고, 강을 건널 수 없음. → 친구들이 8자 모양 안에 들어와 서고 ❷[　][　]는 하나부터 열까지 센 후에 출발함. → 술래에게 잡히거나 금 밖으로 나간 친구가 다시 술래가 됨.

❷ 친구들 ❶ 길　**정답**

22 집을 꾸밀 장식품 만들기

방문 걸이를 만들어 ❶[　][　]에 걺.

골판지를 말아 꽃 화분을 만듦.

❷[　][　] 장식을 만들어서 닮.

색종이를 접어 액자를 만듦.

❷ 가랜드 ❶ 현관문　**정답**

23 봄과 관련된 색 찾아보기

개나리: ❶[　][　]색

철쭉: 분홍색

목련: 하얀색

새싹: ❷[　][　]색

청개구리: 초록색

벚꽃: 연분홍색

❷ 연두 ❶ 노랑　**정답**

24 생각그물로 나타내기

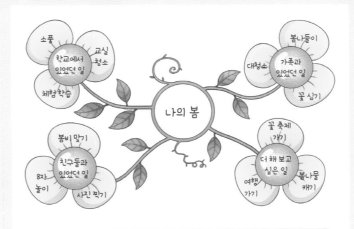

봄에 있었던 일을 떠올려 보고 큰 주제를 정하여 ❶[　][　] 가지를 그림. → ❶[　][　] 가지와 관련된 경험을 나타낼 수 있는 ❷[　] 가지를 그려서 완성함.

❷ 작은 ❶ 큰　**정답**

▶ 점선을 따라 접어서 뜯어 쓰세요.

22 집을 꾸밀 장식품 만들기

✛ 다음 봄 분위기를 느낄 수 있도록 집 안을 꾸민 모습을 보고, 빈칸에 알맞은 말을 쓰세요.

골판지를 말아 꽃 ❶[　　　　]을 만들어 집 안에 놓아두고, 색종이를 접어 예쁜 ❷[　　　　]를 만들어 사진을 넣어 두었어요.

정답 ❶ 화분 ❷ 액자

21 8자 놀이

✛ 다음 8자 놀이를 하는 모습을 보고, 빈칸에 알맞은 말을 쓰세요.

❶[　　　　]을 건너야지.

❷[　　　　]에게 잡히거나 금 밖으로 나가면 술래가 돼요.

정답 ❶ 강 ❷ 술래

24 생각그물로 나타내기

✛ 다음 대화를 보고, 빈칸에 알맞은 말을 쓰세요.

우리 봄에 있었던 일을 생각그물로 나타내 볼까?

그래. 먼지바람, 꽃샘추위 등 봄 ❶[　　　　]를 큰 주제로 잡고 주요 가지를 그려 보자.

그다음 주요 가지와 관련 있는 ❷[　　　　]을 나타낼 수 있는 부 가지를 그리면 생각그물 완성!

정답 ❶ 날씨 ❷ 모습

23 봄과 관련된 색 찾아보기

✛ 다음 사다리를 타고 내려가 빈칸에 봄의 모습과 관련된 색을 쓰세요.

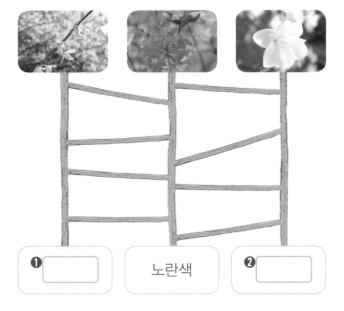

❶[　　　　]　노란색　❷[　　　　]

정답 ❶ 연두색 ❷ 흰색

나의 몸 그리기

✚ 거울을 이용하여 나의 몸을 살펴보고 나의 얼굴과 몸을 완성해 보세요.

✚ 나이에 따라 내 모습의 변화를 그리거나 사진을 붙여서 성장흐름책을 만들어 보세요.

········· 안으로 접는 선   ─ ─·─ ─ 밖으로 접는 선

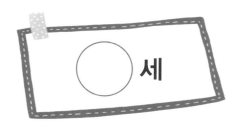

○ 세

이곳에 풀칠하여 붙이세요.

이름

정답은 책의 맨 뒤에 있어요.

세

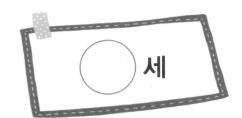

세

아니없아.

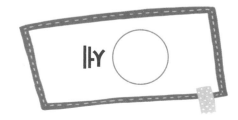

세

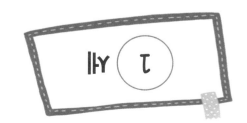

ㄱ 세

봄의 모습 퍼즐 맞추기

✦ 봄의 모습 퍼즐 조각을 뜯어 퍼즐 판에 맞춰 보세요.

퍼즐 판

퍼즐 조각

✦ 옷을 예쁘게 색칠하여 봄 날씨에 어울리는 옷을 입혀 보세요.

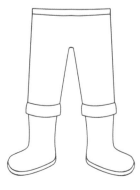  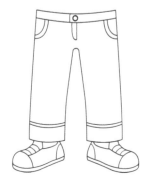

✚ 나무에 나뭇잎과 꽃을 붙여 봄 나무를 만들어 보세요.

붙임 딱지 ⭐1️⃣

본문 8~9쪽

본문 15쪽

본문 19쪽

발 구르기

본문 21쪽

초등학교 입학

본문 23쪽

본문 25쪽

생각하기

본문 36쪽

본문 40~41쪽

본문 40~41쪽

본문 47쪽

소방관

본문 49쪽

선생님

본문 51쪽

본문 55쪽

본문 59쪽

본문 66쪽

본문 72~73쪽

본문 77쪽

본문 79쪽

청소 도구 정리하기

창문 열기

바닥 쓸기

창문 닫기

바닥 닦기

먼지 떨기

본문 87쪽

본문 101쪽

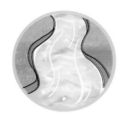

스케줄표
붙임 딱지

★ 하루 학습이 끝나면 스케줄표에 붙여 보세요!

1주
 좋아요 1일
 잘했어 2일
 멋있어 3일
 훌륭해 4일
 놀라워 5일
 뿌듯해 특강

2주
 좋아요 1일
잘했어 2일
멋있어 3일
 훌륭해 4일
 놀라워 5일
 뿌듯해 특강

3주
 좋아요 1일
 잘했어 2일
 멋있어 3일
 훌륭해 4일
 놀라워 5일
 뿌듯해 특강

마무리 학습
 좋아요
 잘했어
멋있어
 훌륭해
놀라워
 뿌듯해

★ 필요한 곳에 붙여 보세요!

 좋아요
잘했어
멋있어
 훌륭해
 놀라워
 뿌듯해

 좋아요
 잘했어
 멋있어
 훌륭해
놀라워
 뿌듯해